论书绝句（注释本）

启功 著
赵仁珪 注释

生活·讀書·新知 三联书店

写在前面

《论书绝句》（注释本）是启功先生的名著《论书绝句》以及赵仁珪先生为其所做的注释合而为一的关于中国古代书法的经典读本。

启功先生（1912—2005），字元白，又作元伯，北京人，满族。曾任中国人民政治协商会议全国委员会委员，中央文史研究馆馆长、国家文物鉴定委员会主任委员、中国书法家协会名誉主席、北京师范大学教授。

启功先生学术成就卓著，学问严谨，著述丰富，同时，又是具有深厚国学底蕴并锐意创新的艺术家，对中国书法有很深的造诣，尤精碑帖之学。

启功先生的《论书绝句》是一部不朽的著作，收诗百首，前二十首是启功先生二十岁左右的诗作，后八十首是其年逾半百后的作品。他以百首古体诗，总结了几十年的书法实践，其中涉及了数以百计的碑帖和书法著作，并对历代书家和书法理论，做了精妙的解读。附于书后的《论书随笔》、《论书札记》二篇，同样蕴含了启功先生对书法的独到见解。正如赵仁珪先生所言："此书见解深刻，论述精辟。他将毕生的心得体会精炼于短短的一册中，真可谓博观而约取，厚积而薄发，其见地之精深自不言而喻。”

诗中内容涉及了许多历史典故、人名、碑名，因时代久远，读者阅读起来难免有些困难，有些话题，因受诗的字数限制，不能展开，也会造成阅读上的困难。因此，赵仁珪先生承担起为这部经典之作作注的工作。

赵仁珪先生，北京师范大学文学院教授、博士生导师，从事中国唐宋文学的研究。他是启功先生的学生，师从启功先生攻读古典文学。因晚年的启功先生患有眼疾，故完成这部书的注释工作就落在了赵仁珪先生身上。赵先生以其深厚的古典文学功底，加上对启功先生及中国书法的了解，使得全书的注释得体、到位。二者合为一体，更能让这部经典之作，惠及更多读者。

今天，我们将之收入“中学图书馆文库”，是为了让更多青年朋友也能通过这本书，了解中国传统的书法文化，了解启功先生对中国书法的精辟见解，并能将中国传统文化发扬光大。

生活·讀書·新知三联书店编辑部

2012年8月

目录

前言

启功先生的《论书绝句》是一部不朽的著作。

此书内容丰富，知识广博，涉及数以百计的碑帖和书法著作，以及数以百计的书法家和书法理论家。既是一部书法史，又是一部书法研究史。

此书见解深刻，论述精辟。他将毕生的心得体会精炼于短短的一册中，真可谓博观而约取，厚积而薄发，其见地之精深自不言而喻。

此书形式新颖，别开生面。采用了一诗一文一题的形式，将如此广博的内容和如此深刻的见解阐释得如此生动活泼，真可谓别出心裁，匪夷所思。

此书文笔优美，令人百读不厌。百首七言绝句格律严谨，朗朗上口；百篇短文构制精美，笔力高古，都可当作优美的文学作品来读。

此书编排精当，印刷考究，一百首论书墨迹印得异常精美，如睹原作，更使人爱不释手。因此一版再版，深受广大读者的欢迎。

但有些读者反映，对诗文中涉及的某些历史背景、相关掌故了解得还不够清楚；特别是书中所提及的人名、碑名、书名常用通称、简称或异称，因而有时分辨不清；对某些较生僻的文言词句难于理解。因此很多读者都呼吁能否在原书的基础上再适当地加些注释。

为满足广大读者之需，三联书店特推出此注释本。最好的注释者当然是启功先生本人。但先生近来因患眼疾，难于亲自操笔，便用口述的形式，由不佞据所闻所知加以注释整理，再请先生复审，乃成定稿。所用底本选用三联书店 1997 年 12 月再版本，参照荣宝斋出版社 1995 年 9 月本，并对个别词做了改动。

至于注释的重点，完全据上述读者之需而定。需要强调的是，对文言词句的注释，只选极难懂处；一般辞书可以查到者一律从略，专家读者幸垂指教！

赵仁珪 2001 年春

引言

此论书绝句一百首，前二十首为二十余岁时作；后八十首为五十岁后陆续所作。初有简注，仅代标题。诗皆信手所拈，几同儿戏。朋友传抄，以为谈助，徒增愧怍耳。

数年前，香港大公报艺林副刊分期登载，注欲加详，乃为各注数百字。刊载既竣，复蒙商务印书馆香港分馆合印成册，是可感也。

其中所论，有重复，有矛盾，亦有忍俊不禁而杂以嘲嬉者。或以此病相告，乃自解嘲曰：重复者，为表叮咛，所以显其重要性也；矛盾者，以示周全，所以避免片面性也；嘲嬉者，为破岑寂，所以增其趣味性也。强词夺理，其为有痂嗜之读者所见谅乎？

今逢再版，因略加修订，附此小言。平生师友暨敬爱之读者，幸垂明教！

一九八五年岁暮，启功自识于北京师范大学

宿舍之浮光掠影楼，时年周七十有三。

论书绝句

西京隸勢自堂堂點畫紛披態萬方何必殘塼搜五鳳漆書天漢接元康

一

西京隶势自堂堂[1]，点画纷披态万方。

何必残砖搜五凤[2]，漆书天汉接元康[3]。

汉晋简牍。

此首作于一九三五年，其时居延简牍虽已出土[4]，但为人垄断[5]，世莫得见。此据《流沙坠简》及《汉晋西陲木简汇编》立论[6]。二书所载，有年号者，上自天汉，下迄元康。

汉简北宋出土者，早已无存，仅于汇帖中尚存其文[7]，已经转相临写，非复原来面目。明清人所见汉代字迹，莫非碑刻。且传世汉碑，多东汉人作，偶见西汉石刻，或相矜诧，或疑为伪物。五凤古刻，或石或砖，偶有流传，稀同星凤焉。

今距此诗作时又四十余年[8]，战国秦汉竹帛之遗，纷至沓来，使人目不暇给，生今识古，厚福无涯，岂止书学一道，隶书一体而已哉！

[注释]

① 西京：代指西汉，因建都于长安，与后来建都于洛阳的东汉相对而言。 隶势：隶书的体势。

② 五凤：汉宣帝年号（前57—前54）。

③ 漆书：墨迹。 天汉接元康：天汉：汉武帝年号（前100—前97）。 元康：汉宣帝年号（前65—前61）。这里皆泛指西汉时期。

④ 居延简牍，又称居延汉简。1930年在今内蒙古额济纳河流域的汉代烽燧遗址中始被发现。内容为西汉末东汉初年张掖郡居延都尉和肩水都尉管辖区内的屯戍文书，为研究汉代历史的重要资料。

⑤ 为人垄断：初，居延汉简被国民党中央研究院所垄断，一般人很难见到。

⑥《流沙坠简》：罗振玉编。《汉晋西陲木简汇编》：张凤编。

⑦ 汇帖：丛帖，相对于专帖而言。

⑧ "今距"一段：本书初版为八十年代初，故云。

西汉五凤刻石

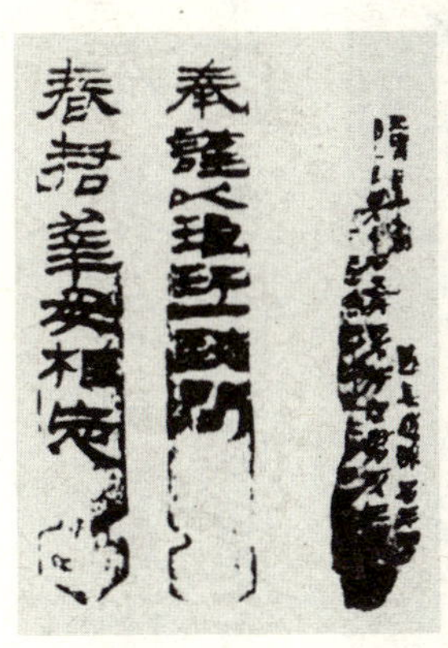

西汉天汉木简

翠墨黟然發古光金題錦帙照琳瑯十
年校遍流沙簡平復無慚署墨皇

二

翠墨黟然发古光[1]，金题锦帙照琳琅。

十年校遍流沙简[2]，平复无惭署墨皇。

陆机平复帖[3]。张丑云[4]：“墨有绿色。”

帖文云：“彦先羸瘵[5]，恐难平复。往属初病[6]，虑不止此，此已为庆，承使唯男[7]，幸为复失前忧耳。吴子杨往初来主[8]，吾不能尽，临西复来[9]，威仪详跱[10]，举动成观，自躯体之美也。思识口爱（或释量）之迈前，执（势）所恒有，宜口称之。夏伯荣寇乱之际，闻问不悉[11]。”

彦先为贺循字，循多病，见于《晋书》本传。或谓彦先卒于陆士衡之后，则此非贺氏。然“恐难平复”，只是疑词，非谓即死也。此帖当书于陆氏入洛之前[12]，所谓“临西复来”，殆吴子杨将往荆襄一带，行前作别耳。

此帖自宋以来，流传有绪。传世晋人手札，无一原迹，二王诸帖[13]，求其确出唐摹者，已为上乘。此麻纸上用秃笔作书，字近章草[14]，与汉晋木简中草书极相似，是晋人真迹毫无可疑者。帖中字有残损处，释文有据偏旁推断者。

[注释]

① 翠墨：形容墨色之浓，且古色古香，亦即文中引张丑所云："墨有绿色"。

② "十年"句：此时《流沙坠简》已出版十年，作者据此以校该帖。

③ 陆机：字士衡，西晋名士。

④ 张丑：明朝人，著有《清河书画舫》，书中曾记载《平复帖》。

⑤ 羸瘵（zhài）：病困。

⑥ 往属：以前。

⑦ 承使唯男：意谓有一儿子在身边侍奉。

⑧ 往初来主：当初寓居于此。 主：寓居。

⑨ 临西复来：可能指吴子杨在前往荆襄一带时再次到陆机这里来。

⑩ 详跱（zhì）：安详、高大。

⑪ 不悉：书信结尾套语，犹言"不尽"。

⑫ 陆氏入洛之前：陆机本吴人，吴亡，十年不仕。太康十年（289）与弟陆云同入洛阳。

⑬ 二王：王羲之、王献之父子。

⑭ 章草：草书的一种。

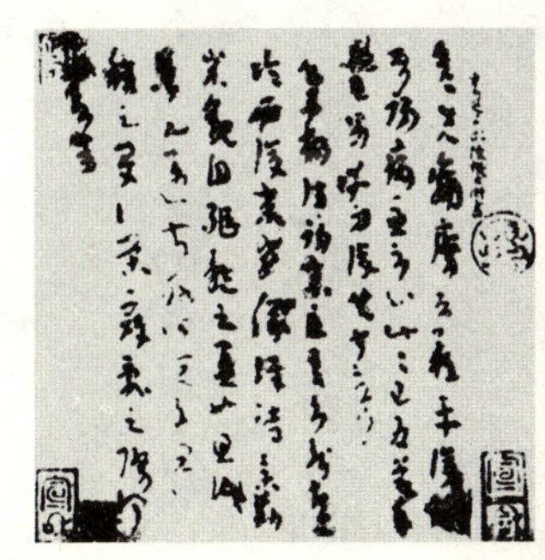

晋陆机平复帖

大地將沈萬國魚昭陵玉匣劫灰餘先
塋松柏俱零落腸斷羲之喪亂書

三

大地将沉万国鱼[1]，昭陵玉匣劫灰余[2]。

先茔松柏俱零落[3]，肠断羲之丧乱书。

王羲之丧乱帖。

帖首云：“丧乱之极，先墓再离荼毒。”此首作时，当抗战之际，神州沦陷，故有此语。离同罹。

唐摹王帖，本本源源，有根有据者，首推万岁通天帖[4]，其次则日本所传丧乱帖及孔侍中帖。此时万岁通天帖硬黄原卷尚未发现[5]，故只论及此帖。

丧乱帖传入日本，远在唐代，当是留学僧、遣唐使所携归者。卷中有“延历敕定”[6]印记，可证其摹时必在公元 8 世纪以前。此帖与孔侍中帖在当时或属一卷，后为人所割分，以其摹法相类也。

丧乱帖笔法跌宕，气势雄奇。出入顿挫，锋棱俱在，可以窥知当时所用笔毫之健。阁帖传摹诸帖中[7]，有与此帖体势相近者，而用笔觚棱转折[8]，则一概泯没。昔人谓，不见唐摹，不足以言知书，信然。

[注释]

① 万国鱼：慨言人将被洪水所淹而化为异类，此指抗战之际。

② 昭陵：唐太宗陵墓。 玉匣：殓具，实为今日所云之金缕玉衣。 劫灰余：唐太宗死后，将王羲之《兰亭序》等作陪葬。后温韬虽掘墓，仍未找回。

③ 先茔（yíng）：谓作者祖先之坟墓。故下文云，联想起羲之的丧乱书而为之肠断。

④ 万岁通天帖：王羲之家族后人王方庆所藏王羲之等人之帖，因原帖卷后王方庆款识中标有“万岁通天”年号，故称。参见第三四首。万岁通天：武则天年号（696—697）。

⑤ 硬黄：用黄檗染过的纸，再烫以蜡，质地又黄又硬，且莹彻透明，可防虫蛀，便于法帖墨迹的向拓双钩。

⑥ 延历：日本年号，782—805 年。

⑦ 阁帖：《淳化秘阁法帖》（亦称《淳化阁帖》）的简称。“（宋）太宗留意字书，淳化中（990—994），尝出内府及士大夫家所藏汉晋以下古帖，集为十卷，刻石于秘阁，世传为《阁帖》是也。”（叶梦得《石林燕语》卷三）常被人视为丛帖之祖。

⑧ 觚（gū）棱：原指宫阙上转角处的瓦脊成方角棱瓣之形，此处指棱角。

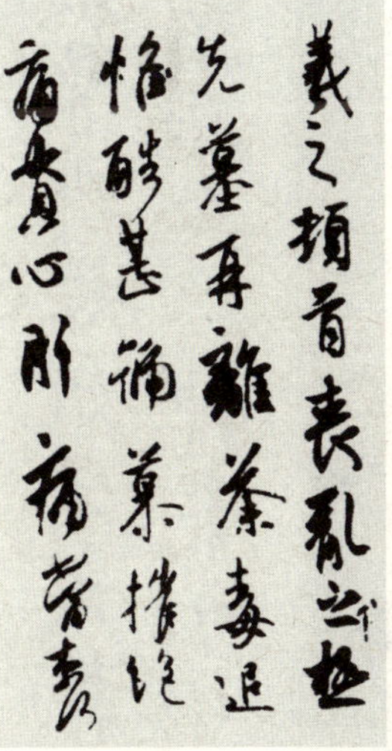

王羲之丧乱帖

底從駿骨辨媸妍定武椎輪且不傳賴
有唐摹存血脈神龍小印白麻箋

四

底从骏骨辨媸妍[①]，定武椎轮且不传[②]。
赖有唐摹存血脉，神龙小印白麻笺[③]。

王羲之等若干人在会稽山阴兰亭水边修禊赋诗事[④]，早有文献记载，兰亭序帖，乃当日诸人赋诗卷前之序。流传至唐太宗时，命拓书人分别钩摹，成为副本。摹手有工有拙，且有直接钩摹或间接钩摹之不同，因而艺术效果往往悬殊。今日故宫博物院所藏有神龙半印之本，清代题为冯承素摹本[⑤]，笔法转折，最见神采。且于原迹墨色浓淡不同处，亦忠实摹出，在今日所存种种兰亭摹本中，应推最善之本。

钩摹向拓[⑥]，精细费工，在唐代已属难得之珍品，至宋代更不易得。于是有人摹以刻石，其石在定武军州，遂称为定武本[⑦]，北宋人以其易得，于是求购收藏，遂成名帖。实则只存梗概，无复神采。试与唐摹并观，如棋着之判死活，优劣立见矣。至清代李文田习见碑版字体刻法[⑧]，而疑禊序，不过见橐驼谓马肿背耳。

[注释]

① 底从：何从。 骏骨：千里马死后所遗之骨。此句是说定武本《兰亭序》已不传，后人无法依据它来看到《兰亭序》帖的原貌。

② 椎轮：原始的无辐车轮，比喻事物的草创。

③ 神龙小印：摹本上有很小的一方小印，印文是“神龙”二字，且此二字有一半不显，故文中又说“神龙半印”。 神龙：唐中宗年号（705—707）。

④ 兰亭：在今浙江省绍兴市西南兰溪江畔。修禊（xì）：古代习俗，在农历三月三日到水边祓除不祥。后文“禊序”即指《兰亭序》。

⑤ 冯承素摹本：冯承素本是唐初御府拓书人之一（见张彦远《法书要录》中何延之《兰亭记》），清人将神龙本坐实为冯一人。

⑥ 向拓：古代复制法书的方法，把纸、绢覆在墨迹上，向光照明，双钩填墨。传世晋唐法书多是向拓本（亦有称为响拓，响实为向）。

⑦ 定武本：据说唐太宗曾命人临《兰亭序》刻于学士院。五代梁时移置汴都，后经战乱遗失。北宋庆历间发现，置于定州（今河北正定）州治。大观中，徽宗又将其置于宣和殿。北宋亡，石亦亡失。

⑧ 李文田：清代书家。

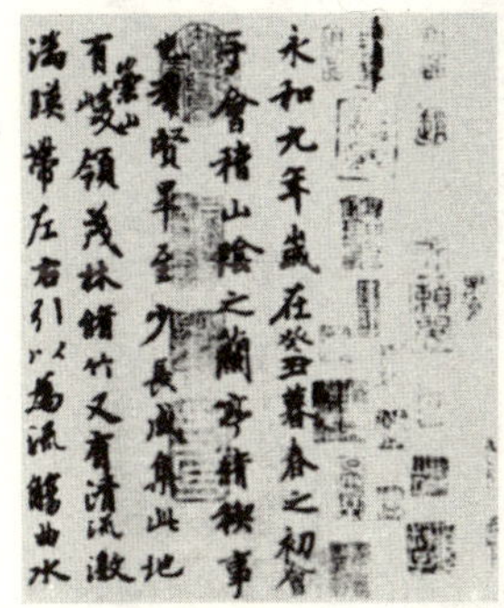

唐摹兰亭序神龙本

定武兰亭残本

五

风流江左有同音[1]，折简书怀语倍深[2]。

一自楼兰神物见[3]，人间不复重来禽[4]。

風流江左有同音折简書懷語倍深一
自楼蘭神物見人間不復重来禽

楼兰出土晋人残笺云：“口（无）缘展怀，所以为叹也。”笔法绝似馆本十七帖[5]。

楼兰出土残纸甚多，其字迹体势，虽互有异同，然其笔意生动，风格高古，绝非后世木刻石刻所能表现，即唐人向拓，亦尚有难及处。

如残纸中展怀一行，下笔处即如刀斩斧齐，而转折处又绵亘自然，乃知当时人作书，并无许多造作气，只是以当时工具，作当时字体。时代变迁，遂觉古不可攀耳。

张勺圃丈旧藏馆本十七帖[6]，后有张正蒙跋，曾影印行世，原本今藏上海图书馆，有新印本，其本为宋人木板所刻，锋铩略秃[7]，见此楼兰真迹，始知右军面目在纸上而不在木上。譬如画像中虽须眉毕具，而謦欬不闻[8]，转不如从其弟兄以想见其音容笑貌也。

[注释]

① 江左：指东晋，王羲之生活于该时代。此句谓楼兰出土的晋人残纸可以成为东晋风流的同音。

② 折简：即写信。

③ 神物：即晋人残纸。其字迹酷像王羲之《十七帖》，故云。

④ 来禽：代指王羲之《十七帖》刻本。因其首有“青李来禽”字样，故名。此句是说晋人残纸墨迹出土后，那些刻板的碑帖就不再那么珍贵了。

⑤ 馆本十七帖：馆：指弘文馆。王羲之所书信札，因第一札开头有“十七日”三字，故名。唐太宗时将其列为禁中的法书范本，故又称《馆本十七帖》。

⑥ 张勺圃：近人张伯英。

⑦ 锋铩：笔锋，刀刃。

⑧ 謦欬（qǐng kài）：咳嗽，引申为谈笑、谈吐。

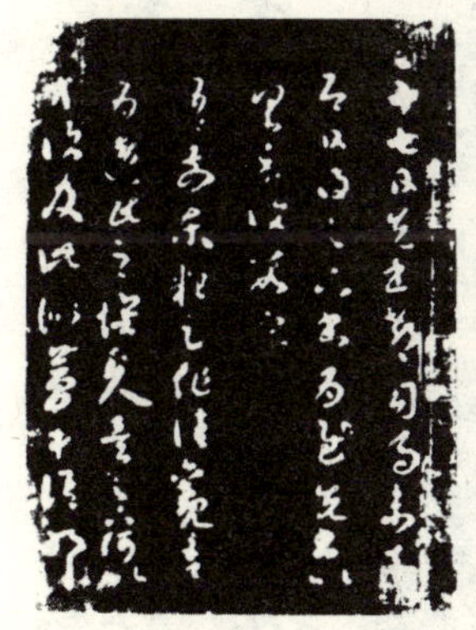

宋拓馆本十七帖

楼兰出土晋人残纸

六

蝯翁睥睨慎翁狂[1]，黑女文公费品量[2]。
翰墨有缘吾自幸，居然妙迹见高昌[3]。

蝯翁睥睨慎翁狂黑女文公費品量翰
墨有緣吾自幸居然妙迹見高昌

六朝碑志笔法，可于高昌墓砖墨迹中探索之。

何绍基蝯叟得魏张黑女墓志孤本，甚自矜重，一再临写。包世臣慎伯撰《艺舟双楫》，推挹北碑，以郑文公碑为极则。张黑女志累经影印，郑文公碑世尤习见，学人临写，俱难措手。即以蝯叟功力之深，所见临黑女志虽异常肖似，顾自运之迹，竟无复黑女面目，亦足见其难学矣。慎翁楷法之精者，学王彦超重刻庙堂碑[4]，略放则拟郑文公碑。惟见其每笔蜷曲，不见碑字敦重开张之势，故何氏于黑女志跋中讥包氏未能横平竖直，盖由于此。

高昌墓志出土以后，屡见奇品。其结体、点画，无不与北碑相通。且多属墨迹，无刊凿之失，视为书丹未刻之北碑[5]，殆无不可，惜包何诸公之不获见也。

[注释]

① 蝯（yuán）翁：何绍基，字子贞，号东洲，又号猿叟。清道光年间进士。书法自成一家，草书尤为一代之冠。慎翁：包世臣，清嘉庆年间举人，工书，致力北碑，兼习二王。文中所说的“蝯叟”与“慎伯”即指此二人。

② 黑女：指《张黑女墓志》帖。 文公：指《郑文公碑》。郑文公：郑羲，谥号本为郑文灵公，因其子不喜“灵”字，所以写成郑文公。

③ 高昌：故址在今新疆吐鲁番东约二十公里。

④ 王彦超：五代时王彦超曾翻刻《庙堂碑》。庙堂碑：《孔子庙堂碑》的简称，字迹较小。

⑤ 书丹：古时刻碑，先用朱笔在石上写所要刻之文，称“书丹”。后泛指书写碑志。

高昌墓砖墨迹（白粉书）

硯臼磨穿筆作堆千文真面海東回分
明流水空山境無數林花爛漫開

七

砚臼磨穿笔作堆，千文真面海东回[1]。
分明流水空山境，无数林花烂漫开[2]。

智永写千字文八百本，分施浙东诸寺，事见唐何延之兰亭记[3]。千数百年，传本已如星凤。世传号为智永书者并石刻本合计之，约有五本：大观中长安薛氏摹刻本[4]，一也；南宋群玉堂帖刻残本四十二行[5]，自“囊箱”起至“乎也”止，二也；清代顾氏过云楼帖刻残本[6]，自“龙师”起至“乎也”止，此卷为明董其昌旧藏，戏鸿堂帖曾刻其局部[7]。近获见原卷，黄竹纸上所书，笔法稚弱，殆元人所临，三也；宝墨轩刻本[8]，亦殊稚弱，四也；日本所藏墨迹本[9]，五也。

此五本中，以一、二、五为有据，长安本摹刻不精，累拓更为失真。群玉本与墨迹本体态笔意无不吻合，惜其残失既多，且究属摹刻。惟墨迹本焕然神明，一尘不隔。非独智永面目于斯可睹，即以研求六朝隋唐书艺递嬗之迹，眼目不受枣石遮障者[10]，舍此又将奚求乎？

[注释]

① 千文：千字文。 海东回：由日本传回。

② “分明”二句：形容日本所藏本之精美。流水：指灵活。花开：指灿烂。

③ “事见”句：见于张彦远《法书要录》所载。

④ 大观：宋徽宗年号（1107—1110）。

⑤ 群玉堂帖：丛帖名，南宋宫廷所刻，现有若干残本收藏于故宫等地。

⑥ 顾氏：顾文彬，字子山，苏州人。

⑦ 戏鸿堂帖：董其昌所刻。董其昌之堂名为“戏鸿堂”。

⑧ 宝墨轩：当为明刻本，有影印本流行。

⑨ 日本所藏墨迹本：乃为日本人小川为次郎（号简斋）用巨资购得并珍藏。当为智永真迹。

⑩ 枣石：指木刻本、石刻本。旧时多用枣木或梨木雕刻书版。

隋智永书千字文墨迹本

爛漫生踈兩未妨神全原不在矜莊龍

跳虎臥溫泉帖妙有三分不妥當

當字平讀

八

烂漫生疏两未妨[1]，神全原不在矜庄[2]。

龙跳虎卧温泉帖，妙有三分不妥当[3]。

（当字平读）

唐太宗书碑有二，曾自以二碑拓本赐外国使臣，其得意可知。温泉铭早佚，晋祠铭尚存，但历代捶拓，已颓唐无复神采。真绛帖中摹刻温泉铭铭词一段[4]，标题曰秀岳铭，盖据首句“岩岩秀岳”为题，并不知其为温泉铭。是潘师旦所见，已是残本。此真绛帖今存者已稀，清代南海吴荣光旧藏者，现在北京故宫博物院。吴氏曾摹入筠清馆帖[5]，距绛帖又隔一尘矣。

敦煌本温泉铭最前数行亦残失，幸以下无损。米芾“庄若对越，俊如跳掷”之喻[6]，正可借喻。

书法至唐，可谓瓜熟蒂落，六朝蜕变，至此完成。不但书艺之美，即摹刻之工，亦非六朝所及。此碑中点画，细处入于毫芒，肥处弥见浓郁，展观之际，但觉一方黑漆版上用白粉书写而水迹未干也。

其字结体每有不妥处，譬如文用僻字，诗押险韵，不衫不履[7]，转见丰采焉。

[注释]

① 烂漫生疏：或熟或生。

② 神全：神完气足。 矜庄：矜持，庄重。

③ “妙有”句：意谓正是由于有三分“不妥当”，所以方显其妙。

④ 真绛帖：宋朝绛州本帖，重摹《淳化阁帖》并增加了一些新内容，由潘师旦主持，故下文有“潘师旦所见”云云。

⑤ 筠清馆帖：清代吴荣光所刻帖名。

⑥ 对越：对尊者、长者说话。 跳掷：喻活泼好动。

⑦ 不衫不履：衣着不整齐，形容性情洒脱，不拘小节。

唐太宗书温泉铭

宋元鄉搨汝南誌棗石翻身孔廟堂曾
向蒙莊聞儻論古人已與不傳亡

九

宋元向拓汝南志[1]，枣石翻身孔庙堂[2]。

曾向蒙庄闻谠论，古人已与不传亡[3]。

虞世南汝南公主墓志，汇帖中曾见之，近代流传一墨迹本，曾经影印。其原迹今藏上海博物馆。一九七二年闻馆中专家谈，实属宋人摹本，余私幸昔年从影印本中判断未谬。然其摹法具在，即影印本中亦能辨出，不必待目验纸质焉。

虞书以庙堂碑为最煊赫，原石久亡，所见以陕本为多[4]。然摹手于虞书，知其当然，不知其所以然，与唐石残本相较[5]，其失真立见。城武摹刻本[6]，不知出谁手，以校唐石，实为近似，惜其石面捶磨过甚，间架仅存，而笔划过细，形同枯骨矣。

唐石本庙堂碑，影印流传甚广，惜是原石与重刻拼配之本。然观《黄山谷题跋》，已多记拼配之本，知唐刻原石北宋时必已断缺矣。

积时帖昔藏石渠宝笈[7]，几经浩劫，不知尚在人间否？

[**注释**]

① 汝南志：即虞世南所书《汝南公主墓志》。

② 翻身：重刻、翻刻。 孔庙堂：《孔子庙堂碑》。

③ “曾向”二句：意谓曾从庄子处听说过，古人的事迹如果不被后人流传，则其人就不被后人所知，那才叫真亡。蒙庄：即庄子。庄子乃蒙人，曾任蒙漆园吏。说论：正论。

④ 陕本：陕西王彦超重刻本。

⑤ 唐石残本：指《庙堂碑》原石。

⑥ 城武摹刻本：出土于山东省城武县的《庙堂碑》，此石乃是从河中发掘出来的。

⑦ 积时帖：虞世南帖名，今不传，有刻本。石渠宝笈：乾隆内府藏本。乾隆将其所收藏的书画辑成三编，取名《石渠宝笈》，乾隆死后逐渐散入民间。

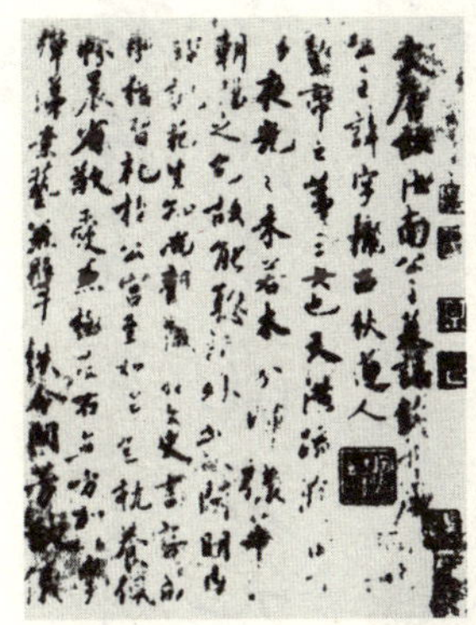

唐虞世南书汝南公主墓志

虞世南书孔子庙堂碑

書樓片石萬千題物論悠〻總未齊照
眼殘編來隴右九原何處起覃溪

十

书楼片石万千题[1]，物论悠悠总未齐[2]。

照眼残编来陇右[3]，九原何处起覃溪[4]。

见敦煌本化度寺邕禅师塔铭，乃知翁方纲平生考证，以为范氏书楼真本者[5]，皆翻刻也。覃溪所见化度寺塔铭多矣，其所题跋考订，视为原石者数本，近代皆有影印本。

若潘宁跋本为覃溪自藏[6]，题识尤多，蝇头细字，盈千累万。世行影印覃溪手自钩摹之本，后附诸跋，皆潘跋本中之物，为梁章钜抽出[7]，附于钩摹本后者。合而观之，覃溪盖认定某一种翻刻本为真，即真龙在前，亦不相识也。

明王偁旧藏本有其钤印[8]，诒晋斋曾收之[9]。覃溪细楷详跋，以为宋翻宋拓。及以敦煌本较之，知为原石，今藏上海图书馆。想见当日经覃溪鉴定，判为翻刻，因而遂遭弃掷之真本，又不知凡几。庸医杀人，世所易见，名医杀人，人所难知，而病者之游魂滔滔不返矣。

[**注释**]

① 书楼片石：即文中所云“范氏书楼真本”。范氏：北宋人。 万千题：谓宋元以来题者甚多。

② 物论：众人的议论，舆论。

③ 残编来陇右：指敦煌本《化度寺碑》。

④ “九原”句：意谓如何能让翁方纲起死回生，一见化度寺碑的原石呢？ 覃溪：翁方纲之号，他一生固守化度寺碑，参见第十九首。

⑤ 范氏书楼真本：《化度寺碑》即收入其中。

⑥ 潘宁：清初收藏家。

⑦ 梁章钜：字闳中，清代嘉庆进士，学者，著有《金石书画题跋》。

⑧ 王偁旧藏本：《化度寺碑》的原始本，现藏上海博物馆。 其：指王偁。

⑨ 诒晋斋：清成亲王永瑆，乾隆十一子。

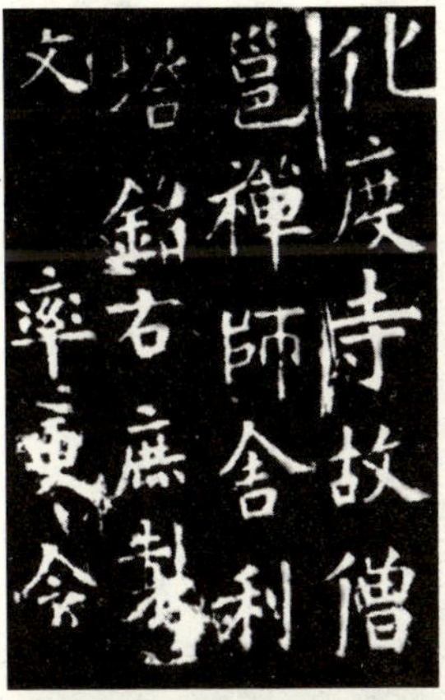

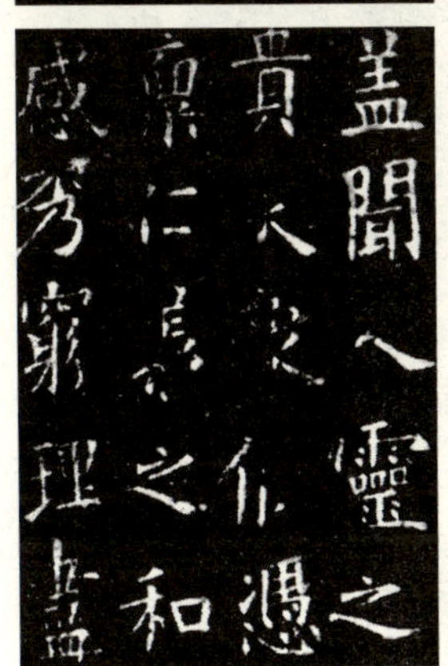

唐化度寺碑敦煌本

乳臭紛紛執筆初幾人霧霈識匡廬棗
魂石魄纔經眼已薄經生是俗書

十一

乳臭纷纷执笔初[1]，几人雾霈识匡庐[2]。
枣魂石魄才经眼[3]，已薄经生是俗书[4]。

唐人细楷，艺有高下，其高者无论矣，即乱头粗服之迹，亦自有其风度，非后人摹拟所易几及者。

唐人楷书高手写本，莫不结体精严，点画飞动,有血有肉,转侧照人[5]。校以著名唐碑,虞、欧、褚、薛[6]，乃至王知敬、敬客诸名家[7]，并无逊色,所不及者官耳。官位愈高,则书名愈大,又不止书学一艺为然也。

余尝以写经精品中字摄影放大，与唐碑比观，笔毫使转，墨痕浓淡，一一可按。碑经刻拓，锋颖无存。即或宋拓善本，点画一色皆白，亦无从见其浓淡处，此事理之彰彰易晓者。

宋刻汇帖，如黄庭经、乐毅论、画像赞、遗教经等等[8]，点画俱在模糊影响之间，今以出土魏晋简牍字体证之，无一相合者，而世犹斤斤于某肥本，某瘦本，某越州[9]，某秘阁[10]。不知其同归枣石糟粕也。

［注释］

① 乳臭：指轻薄小儿。

② 雾霁：雾散之后。 匡庐：庐山。此句化用苏轼“不识庐山真面目”意。

③ 枣魂石魄：谓雕版刻石。下文“枣石”意同。此句谓仅见过一些刻版的碑帖。

④ 经生：唐代抄写佛经的书手。

⑤ 转侧：指字体笔画的来去变化、辗转迁移。

⑥ 虞、欧、褚、薛：虞世南、欧阳询、褚遂良、薛稷。

⑦ 王知敬：唐人，有《魏景武公（李靖）碑》。敬客，姓敬名客，有《王居士砖塔铭》。

⑧ 黄庭经、乐毅论、画像赞、遗教经：皆为汇帖中的帖名，都附会为王羲之所书。

⑨ 越州：越州石氏所刻小楷帖。

⑩ 秘阁：宋时朝廷刻本。

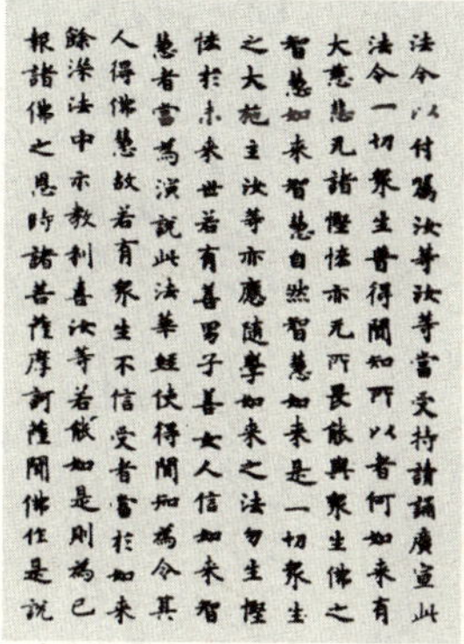

唐人写经

筆姿京下儘清妍躡晉踪唐傲宋賢一念雲泥判德藝遂教坡谷以人傳

十二

笔姿京下尽清妍[1]，躡晋踪唐傲宋贤。

一念云泥判德艺[2]，遂教坡谷以人传[3]。

蔡京、蔡卞。

北宋书风，蔡襄、欧阳修、刘敞诸家为一宗，有继承而无发展。苏黄为一宗，不肯受旧格牢笼，大出新意而不违古法。二蔡、米芾为一宗，体势在开张中有聚散，用笔在遒劲中见姿媚。以法备态足言，此一宗在宋人中实称巨擘[4]。

昔人评艺，好标榜“四家”，诗则王杨卢骆[5]，文则韩柳欧曾[6]，画则黄王倪吴[7]，书则苏黄米蔡[8]。此拼凑之宋四书家，不知作俑何人，其说本自俗不可医。顾就事论事，所谓宋四家中之蔡，其为京卞无可疑，而世人以京卞人奸，遂以蔡襄代之，此人之俗，殆尤甚于始拼四家者。“德成而上，艺成而下”，见小戴《礼记》。

古之所谓德成者，率以其官高耳。此诗余少作也[9]，当时尚不悟拼凑、调换之可笑。“一念[10]云泥”云云，未能免腐。

[注释]

① 京卞：蔡京、蔡卞。

② 云泥判德艺：把德视为云，此处指东坡、山谷；把艺视为泥，此处指蔡京、蔡卞。而且这种判断往往出于一念之中。即后文所说，语出小戴《礼记》：“德成而上，艺成而下。”

③ “遂教”句：承上句，因为苏东坡和黄山谷品德高尚，故受人们推崇。

④ 巨擘（bò）：本指大拇指，这里指名家。

⑤ 王杨卢骆：王勃、杨炯、卢照邻、骆宾王。

⑥ 韩柳欧曾：韩愈、柳宗元、欧阳修、曾巩。

⑦ 黄王倪吴：黄公望、王蒙、倪瓒、吴镇，皆为元人。

⑧ 苏黄米蔡：习俗所说的这四个人为苏轼、黄庭坚、米芾、蔡襄。

⑨ “此少作也”云云：当为此书付印前所补之语。

⑩ “一念”二句：是说从前仅以德艺判高下，这种看法实在未能完全免俗。

宋蔡京书

宋蔡卞书

臣書刷字墨淋漓舒卷烟雲勢最奇更有神通知不盡蜀縑游戲到烏絲

十三

臣书刷字墨淋漓[1]，舒卷烟云势最奇。

更有神通知不尽[2]，蜀缣游戏到乌丝[3]。

米芾。

宋徽宗以当时各书人问米芾，芾历加评骘[4]。问以“卿书如何？”对曰“臣书刷字”。观此刷之一字，其笔法意趣，不难领略。且不仅可以想象其笔尽其力，而墨在毫中，挤于纸上，浓淡重轻，亦依稀若见。襄阳漫仕不独书艺之精[5]，即此语妙，固不在六朝人下矣。

宝晋斋帖刻米临右军七帖[6]，后有米友仁跋云[7]：“此字有云烟卷舒翔动之气，非善双钩者所能得其妙，精刻石者所能形容其一二也。”右军原帖，亦刻于宝晋斋帖中，比而观之，知小米之言不虚也。

昔东坡称米氏“清雄绝俗之文，超妙入神之字”，米起而自辩云：“尚有知不尽处”，遂自夸学道所得。癫语、戏语[8]，自不待深究，其书之妙，则诚有知不能尽而言不能尽者也。

[注释]

① 臣书刷字：据《墨庄漫录》载：“上问本朝以书名世数人，海岳（即米芾）各以其人对曰：‘蔡京不得笔，蔡卞得笔而少逸韵，蔡襄勒字，沈辽排字，黄庭坚描字，苏轼画字。’上复问：‘卿书如何？’对曰：‘臣书刷字。’”

② 更有神通：即文中米芾所对苏轼之语。

③ 蜀缣乌丝：蜀地产的绢，上织有乌丝格，故称蜀缣。

④ 评骘：评定褒贬。

⑤ 襄阳漫仕：即米芾，米为襄阳人，自号漫仕。

⑥ 宝晋斋帖：宋丛帖名。宝晋，米芾书斋名。右军：王羲之。

⑦ 米友仁：米芾之子，字元晖，世号小米。

⑧ 癫语：米芾历来以癫狂著称，人称“米颠”。据《侯鲭录》载：“苏长公（轼）在维扬，一日招客十余人，皆一时名士，米元章亦在座。酒半，元章忽起立自赞曰：‘世人皆以芾为颠，愿质之子瞻。’长公笑曰：‘吾从众。’”

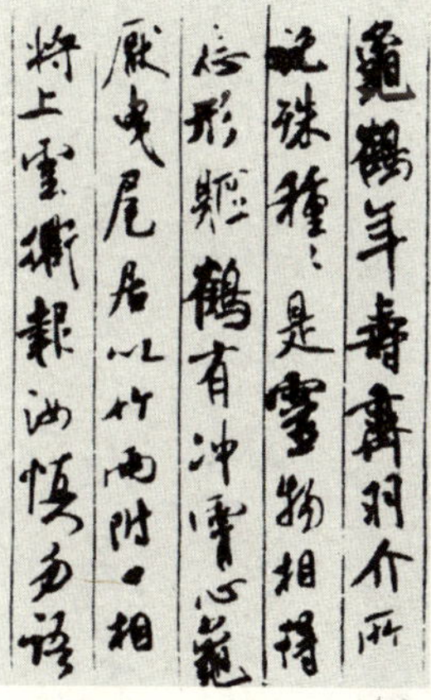

宋米芾蜀素帖

草寫千文正寫經溫夫逸老各專城宋賢一例標新尚此是先唐舊典型

十四

草写千文正写经[①]，温夫逸老各专城[②]。

宋贤一例标新尚，此是先唐旧典型。

王升、张即之。

升亦作昇，字逸老，号羔羊老人。行书似米元章，草书圆润似怀素，而秾粹过之。流传千文一卷，曾刻于南雪斋帖及岳雪楼帖[③]，原迹今已不知存佚如何矣。

即之字温夫，号樗寮。楷书笔法险劲，结体精严，犹存唐人遗矩。流传写经甚多，今有影印者已数本。亦擅书大字，每行两字之长卷，亦有数本。载籍并称其榜书[④]，则已无存矣。

逸老书骎骎入古，世之赝作古法书者，每以其书割截款字以冒唐贤。如馀清斋帖之孙过庭千文[⑤]，墨妙轩帖之孙过庭千文[⑥]，俱是逸老之笔。馀清底本，疑出通卷重摹，后加孙款。墨妙底本则割去王款，添“过庭”二字，不知其王升之印章犹在焉。

[注释]

① 千文：千字文。

② 专城：本指主宰一城的州牧、太守等地方长官。此指专门领域。

③ 南雪斋帖及岳雪楼帖：清乾隆时广东人所刻的两种丛帖。《南雪斋帖》为伍元蕙所刻，《岳雪楼帖》为孔广陶所刻。

④ 榜书：题招牌匾额的书法。

⑤ 馀清斋帖：明人吴廷所编。

⑥ 墨妙轩帖：乾隆内府刻本。

宋王升草书千文

宋张即之写经

十五

朴质一漓成侧媚[①]，吴兴赝迹日纷沦[②]。
明珠美玉千金价，自有流光悦妇人。

赵孟頫。

真书行书，贵在点画圆润，结构安详。自此深造，进而益工益精，盖无不至于妍美者。韩昌黎石鼓歌云[③]："羲之俗书趁姿媚"，乃针对石鼓文而言，以篆籀为雅，故作真行者，虽王羲之亦不免俗书之诮。实则篆籀又何尝无姿媚之致哉！孙过庭《书谱》云："篆尚婉而通"，试问婉通之境界，又何似乎？米元章谓柳公权书为"丑怪恶札之祖"，然而《唐书》柳氏本传则谓其"体势劲媚"，可知姿媚、丑怪，与夫雅俗，亦各随仁智之见耳。

赵书真迹，今日所见甚多，然在有清中叶，精品多入内府，世人可见者，率属翻刻旧帖，其中尤多伪帖。若陕西碑林之天冠山诗，用笔偏侧，结体欹斜，而通行海内，摹之者，流弊日滋。即此浇漓伪体，当时亦曾有学之得名者，致包慎伯、康长素共斥赵书[④]，盖未尝一见真迹也。

樸質一漓成側媚吳興贋迹日紛淪明
珠美玉千金價自有流光悅婦人

今日传世之真书碑版，如胆巴碑、三门记、福神观记、妙严寺记等[⑤]，无一不精严厚重，其他简札，更不及具陈矣。此诗少作也，故有微词可悔。

元赵孟頫书天冠山诗伪本

天地闔闢運乎鴻樞
而乾坤爲之戶日月
出入經乎黃道而卯
酉爲之門是故建設

赵书三门记

[注释]

① “朴质”句：意谓朴质一旦变得浇漓浮薄就成为侧媚。

② 吴兴：赵孟頫为吴兴人。

③ 韩昌黎石鼓歌：石鼓：古代十个圆形石碣，上有篆体刻文。韩愈有咏石鼓的《石鼓歌》。韩认为石鼓上的字最为古雅，所以称王羲之书为俗书。

④ 包慎伯：包世臣。 康长素：康有为。

⑤ 胆巴碑、三门记、福神观记、妙严寺记：皆为赵孟頫墨迹。

丹丘復古不乖時波磔翩翩似竹枝想
見承平文物盛奎章閣下寫宮詞

十六

丹丘复古不乖时[1]，波磔翩翩似竹枝[2]。
想见承平文物盛，奎章阁下写宫词。

柯九思。

元代名家之书，无不习染赵松雪法[3]。乃至书籍刻版，亦莫非赵体。最精最似者，当推朱德润泽民，虽赵雍仲穆[4]，亦未能十分克肖，又足见赵法之易学而难工也。柯丹丘掉臂于赵派盛行之际[5]，而能自辟蹊径，以大小欧阳为师[6]，所谓同能不如独诣者。

丹丘善画竹，昔吾宗老雪斋翁尝谓柯书之笔[7]，俱似其所画竹枝，信属妙喻。盖腕力笔踪，于书于画，其用一也。历观元之吴仲圭，明之沈石田，清之龚半千、恽寿平、黄瘿瓢[8]，无论山石轮廓，树木枝干，即人物之衣纹须发，亦莫不与画上题字同节共拍，此书家之画、画家之书，俱易辨而难赝者也。

丹丘书传世不多，所见以独孤本兰亭跋尾最佳[9]，惜已烧残。小真书上京宫词，曾见摹本一卷，后得真迹影本，惜原卷不知何在矣。

[注释]

① 丹丘：柯九思号丹丘。

② 波磔（zhé）：捺（nà）、撇。 磔：古读入声字。

③ 赵松雪：赵孟頫号松雪。

④ 朱德润：字泽民，曾流落吴中，以赵孟頫荐授翰林应奉。 赵雍仲穆：赵孟頫的次子，故字仲穆。

⑤ 掉臂：自由自在、从容不迫。

⑥ 大小欧阳：欧阳询及其子欧阳通。

⑦ 吾宗老雪斋翁：溥雪斋。

⑧ 吴仲圭、沈石田、龚半千、恽寿平、黄瘿瓢：吴镇、沈周、龚贤、恽格、黄慎。

⑨ 独孤：独孤长老淳朋。

元柯九思跋陆继善摹兰亭序

柯九思书官词

十七

疏越朱弦久寂寥[①]，陵夷八法亦烦嚣[②]。
论书宁下迂翁拜[③]，古淡风姿近六朝。

倪瓒。

倪瓒以迂自号，世传轶事，怪癖尤多。扬子云谓：诗，心声；书，心画。观其字迹，精警权奇[④]，有阮嗣宗白眼向人之意[⑤]，盖于世俗书派有夷然不屑一顾之态。按之唐宋法书，亦未见如斯格局者。或谓出自杨义和黄素黄庭经[⑥]，然今日可见之黄素黄庭，惟玉虹鉴真帖中一本[⑦]，支离细弱，非复六朝风度，殆出几度重摹矣。更较以西陲出土六朝写经，皆古拙有余，而精严不足。于是益见迂翁之书，非独傲睨并世群伦，亦且能度越古之作手焉[⑧]。

倪书常见者，皆题画之作，世传诗稿残本，汇帖曾刻，亦有影本，潦草不精，或出抄胥之手[⑨]，惟吴炳本定武兰亭后题诗一首[⑩]，于世传倪书中，端推上乘。前之陶隐居[⑪]，后之董香光[⑫]，俱不复作，书此公案，且待具眼。

疏越朱弦久寂寥陵夷八法亦烦嚣论
书宁下迂翁拜古淡风姿近六朝

［注释］

① 疏越朱弦：《礼记·乐记》："清庙之瑟，朱弦而疏越，一唱而三叹，有遗音者矣。"疏越，舒缓闲散貌。
② 陵夷：衰微。 八法：永字八法。泛指书法。
③ 迂翁：倪瓒号迂翁。
④ 权奇：奇谲非凡。
⑤ 白眼：阮籍见凡俗之士，以白眼对之；见雅士则以青眼对之，事见《世说新语·简傲》。
⑥ 杨义和：杨羲。 黄素：写于黄绢上。 黄庭经：这里指《上清黄庭内景经》，道教典籍。
⑦ 玉虹鉴真帖：清代乾隆年间书法家张照的女婿孔继涑所刻。
⑧ 度越：超出。
⑨ 抄胥：专门从事抄写的人。
⑩ 吴炳：元朝人。
⑪ 陶隐居：陶弘景，南朝人。
⑫ 董香光：董其昌。他与陶弘景都是著名的书法鉴定者。故下文说他们死后，无法评论我的看法，只好再待有见解的人出现了。

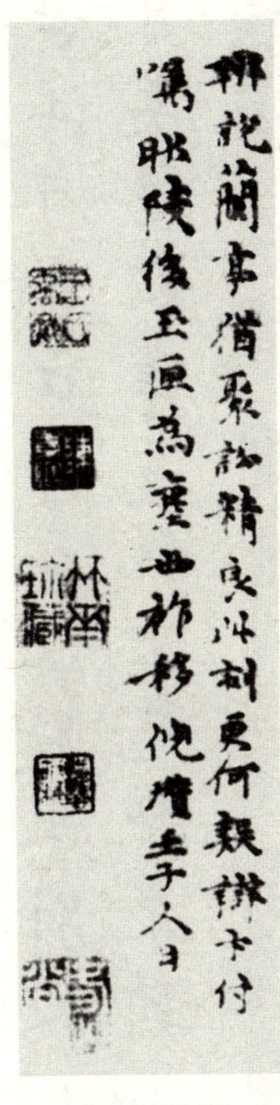

元倪瓒书题兰亭诗

萬古江河有正傳無端毀譽別天淵史家自具陽秋筆逕說香光學米顛

十八

万古江河有正传，无端毁誉别天渊。

史家自具阳秋笔[①]，径说香光学米颠[②]。

董其昌。

余于董书，识解凡数变：初见之，觉其平凡无奇，有易视轻视之感。廿余岁学唐碑，苦不解笔锋出入之法。学赵学米[③]，渐解笔之情，墨之趣。回顾董书，始知其甘苦。盖曾经熏习于诸家之长，而出之自然，不作畸轻畸重之态。再习草书，临阁帖，益知董于阁帖功力之深，不在邢子愿、王觉斯之下也[④]。

董氏早岁曾学石刻小楷如宣示表、黄庭经之类[⑤]，继见唐人墨迹，始悟笔法墨法之道，屡见于论书及题跋之语。余遂求敦煌石室唐人诸迹而临习玩味，书学有所进，端由于此。

世人与董书，或誉或毁，莫非自其外貌著论，而董之由晋唐规格以至放笔挥洒，其途盖启自襄阳，乃信《明史》本传中“书学米芾”之说，最为得髓。

[**注释**]

① 阳秋笔：即《春秋》笔法。晋时，简文帝皇后名阿春，为避讳起见，将《春秋》称为“阳秋”。

② 米颠：及下文的“米”、“襄阳”，皆指米芾。

④ 赵：赵孟𫖯。

④ 邢子愿：邢侗。时有南董北邢之说。王觉斯：王铎。皆为明代书法家。

⑤ 宣示表：据说是王羲之临钟繇的作品。宣示：转达皇帝的旨义。黄庭经：亦附会为王羲之所书写。

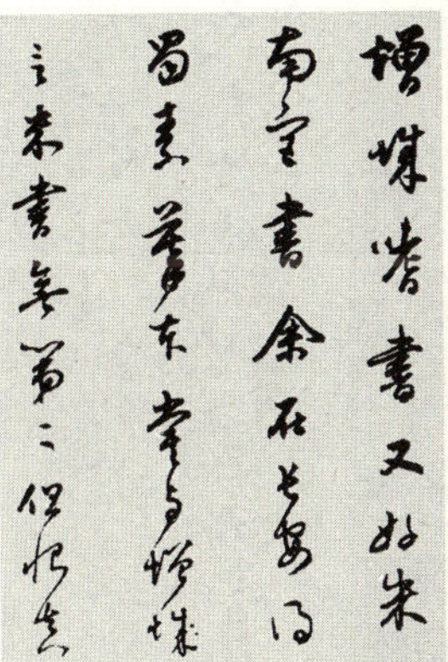

明董其昌行书

刻舟求剑翁北平我所不解刘诸城差
喜天真鐵梅叟肯将淡宕易縱横

十九

刻舟求剑翁北平[1]，我所不解刘诸城[2]。

差喜天真铁梅叟[3]，肯将淡宕易纵横。

翁方纲、刘墉、铁保。

有清书家，有“成刘翁铁”之目。成王爵高[4]，学问又足以济之。试读《诒晋斋集》，可知非率尔操觚者[5]，谓其为爵所掩，亦无不可也。兹故不论。

翁方纲一生固守化度寺碑[6]，字模划拟，几同向拓。观其遗迹，惟楷书之小者为可喜，以其每字有化度之墙壁可依[7]。至于行书，甚至有类世俗抄胥之体者，谓之欧法，则与史事等帖毫无关涉[8]。谓之自运，又每见其模拟一二古帖中字之相同者，吾故曰：翁之楷书，可谓刻舟求剑；翁之行书，则可谓进退失据者也。刘墉书只是其父之法，未见刘统勋书[9]，不能知其底蕴。又自饰之以矫揉偃蹇[10]，竟成莫名其妙之书，此我之所以不解也。

栋鄂铁氏处于乾嘉之际，法书墨迹，俱归内府，取材无所，任笔为书，不失天真之趣，为可尚也。

[注释]

① 翁北平：翁方纲，宛平人，故自称翁北平。

② 刘诸城：刘墉，山东诸城人。

③ 铁梅叟：铁保，满族栋鄂氏。

④ 成王：即清成亲王永瑆。参见第一〇首注⑨。

⑤ 操觚（gū）：执简、书写。

⑥ 化度寺碑：参见第一〇首。

⑦ 墙壁：范围、规矩。

⑧ 史事等帖：戏鸿堂帖收有欧阳询的《史事帖》。《史事帖》，是以历史故事为内容的帖。

⑨ 刘统勋：刘墉之父。

⑩ 偃蹇：傲慢貌。

清翁方纲书

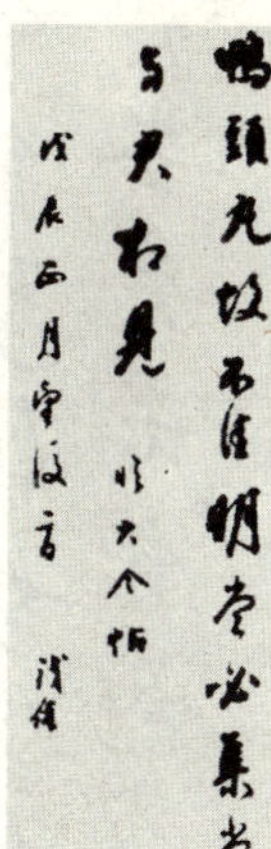

清铁保书

橫掃千軍筆一枝藝舟雙楫妙文辭無
錢口數他家寶得失安吳果自知

二十

横扫千军笔一枝，艺舟双楫妙文辞[①]。
无钱口数他家宝[②]，得失安吴果自知[③]。

包世臣。以上二十首，一九三五年作。

包安吴文笔跌宕，虽籍安徽，而不为桐城所囿[④]，可谓豪杰之能自立者。

其论书之语，权奇可喜，以为文料观，实属斑斓有致，如汉人之赋京都，读者固不必按赋以绘长安宛洛之图也。何以言之？试观安吴自书，小楷以所跋陕刻庙堂碑一段为最[⑤]，只是王彦超重刻虞碑之态[⑥]，于明人略近祝允明、王宠，于北朝人书无涉。其大字则意在郑道昭所书其父文灵公碑[⑦]，而每划曲折，有痕有迹，总归之于不化。今取北朝人书迹比观之，实未有安吴之体者。地不爱宝，墨迹日出，于是安吴之文词愈其见澜翻[⑧]，而去书艺愈远也。

曾有自书论书绝句一本，款署“北平尊兄”，未知何人，有影印本，诗后跋语有云：“身无半文钱，口数他家宝。”

安吴晚岁寓扬州，以其好为大言，人称

之曰包大话。此闻于吾友医家耿鉴庭先生者。耿，扬州人也。

[注释]

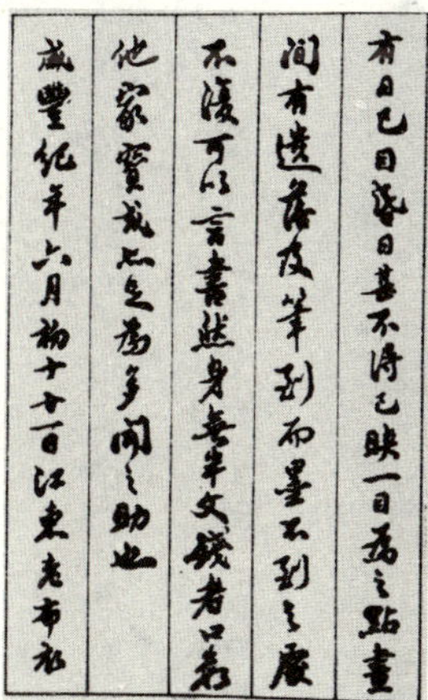
右目已目瞽日甚不得已映一目為之點畫
間有遺落及筆到而墨不到之處
不復可以言書然身無半文錢者以為
他家寶藏亦足為多聞之助也
咸豐紀年六月初十七日江東老布衣

清包世臣论书诗自跋

① 《艺舟双楫》：作者包世臣，安徽泾县安吴镇人，著有《安吴四种》，《艺舟双楫》为其一，专谈文章书法，另外三种为《中衢一勺》专谈水利；《管情三议》专谈法律；《齐民四术》专谈农业。

② “无钱”句：见文中所引包世臣的《论书绝句》。

③ 安吴：指包世臣。

④ 不为桐城所囿：清代文章以安徽桐城派影响最大，而包世臣的文章并不拘泥于此。

⑤ 陕刻庙堂碑：参见第九首。

⑥ 王彦超重刻虞碑：参见第六首注④。

⑦ 郑道昭文灵公碑：参见第六首注②。

⑧ 澜翻：热闹、活跃、生动。

禮器方嚴體勢堅史晨端勁有餘妍不祧漢隸宗風在鳥翼雙飛未可偏

廿一

礼器方严体势坚，史晨端劲有余妍。

不祧汉隶宗风在[①]，鸟翼双飞未可偏[②]。

礼器碑、史晨碑。

汉隶之传世者多矣。荒山野冢，断碣残碑，未尝不发怀古者之幽情，想前贤之笔妙。乃至陶冶者之划墼[③]，葬刑徒者之刻字[④]，朴质自然，亦有古趣。然如小儿图画，虽具天真，终不能与陆探微、吴道子并论也[⑤]。

以书艺言，仍宜就碑版求之。盖树石表功[⑥]，意在寿世，选工抡材[⑦]，必择其善者。碑刻之中，摩崖常为地势及石质所限，纵有佳书，每乏精刻，如褒斜诸石是也[⑧]。磐石如砥[⑨]，厝刃如丝[⑩]，字迹精能，珍护不替[⑪]，莫如孔林碑石。历世毡捶[⑫]，有渐平而无剧损焉。

汉隶风格，如万花飞舞，绚丽难名。核其大端，窃以礼器、史晨为大宗。证以出土竹木简牍[⑬]，笔情墨趣，固非碑刻所能传，而体势之至精者，如春君诸简[⑭]，并不出此之外，缅彼诸碑书丹未刻时，不禁令人有天际真人之想！

[注释]

① 不祧：祧，供奉远祖的神庙。古代帝王的宗庙分为家庙和远庙、始祖之庙。古代将隔了几代的祖先迁入远祖的庙，而永不迁移的始祖称为“不祧之祖”。

② 鸟翼双飞：指《礼器碑》与《史晨碑》。

③ 墼（jī）：未烧的砖坯。此句谓在烧制的陶器上能常见到汉隶。

④ 刑徒者之刻字：古时以刑徒人服苦役，死后埋葬时，置一块砖，上刻人名，称“刑徒（墓）砖”。这句谓刑徒砖上亦常能见到汉隶。

⑤ 陆探微：晋代画家。 吴道子：唐代画家。

⑥ 树石：立碑。

⑦ 抡材：选材。

⑧ 褒斜诸石：陕西褒城驿路上的摩崖刻石，包括汉代的《石门颂》、北魏的《石门铭》等。

⑨ 砥：磨刀石。

⑩ 厝（cuò）刃：加刃于石上。

⑪ 不替：不断绝。

⑫ 毡捶：代指拓碑。

⑬ 简：长条形的。 牍：片形的。

⑭ 春君诸简：参见第一首的“西汉天汉木简”，因木简上有“春君”二字，故名。

汉礼器碑

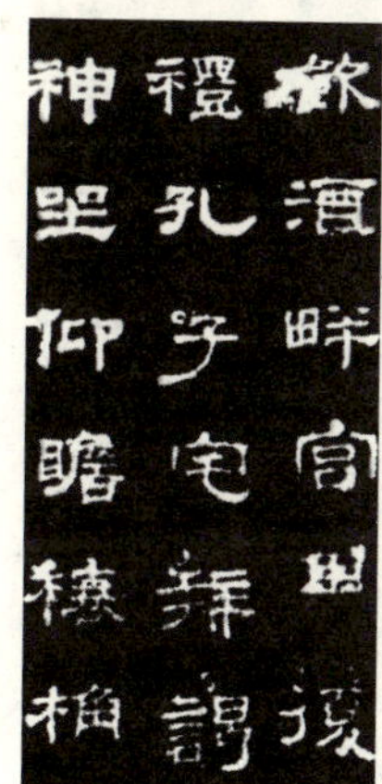

汉史晨碑

筆鋒無恙字如新體態端嚴近史晨雖是斷碑猶可寶朝侯小子爾何人

廿二

笔锋无恙字如新，体态端严近史晨[1]。
虽是断碑犹可宝，朝侯小子尔何人。

朝侯小子残碑。

碑石上半残失，首行起处曰“朝侯小子”云云，不见碑主姓名，世遂以朝侯小子名之，或曰小子碑。

其石旧藏周季木先生家[2]，曾印入《居贞草堂汉晋石影》中。顾鼎梅先生亦曾辑入《古刻萃珍》[3]。近年石归故宫博物院，不轻易捶拓，墨本不易得矣。

此碑点画工整妍美，极近史晨一路，在汉碑中，应属精工之品。昔郑季宣、杨叔恭诸残碑[4]，以出土时早，曾经乾嘉名辈品题[5]，遂得煊赫于世，而小子碑字迹、镌工，俱无逊于郑杨诸碑，而名不加著者，出土年近而品题者少耳。不佞尝为友人题此碑，戏云：即为此碑吐气，我辈亦须各自奋勉。假令吾二人得为翁覃溪、黄小松，则小子碑亦可侪于郑杨诸石[6]。假令得为欧赵诸洪[7]，则此拓本可值重金，其斤两将逾碑石矣[8]。

[注释]

① 史晨：史晨碑。

② 周季木：周暹。有《居贞草堂汉晋石影》一书。

③ 顾鼎梅：顾燮光，著有《梦碧簃石言》一书，专讲有关石刻碑版。

④ 郑季宣、杨叔恭诸残碑：汉碑残石，因上有此二人名字，故称。翁方纲（覃溪）、黄易（小松）二人都为这些碑做过题跋。

⑤ 乾嘉：乾隆（1736—1795）嘉庆（1796—1820）年间。

⑥ 侪于……：与……等同。

⑦ 欧：欧阳修，著有《集古录》，其中有很多对书法的评论题跋。赵：赵明诚，著有《金石录》，亦有很多对书法的评论题跋。诸洪：当为洪适（kuò，又作适），有一些讲书法，特别是隶书的书，如《隶释》、《隶续》。

⑧ “其斤两”句：意谓价值折合黄金，将超过碑石的重量。

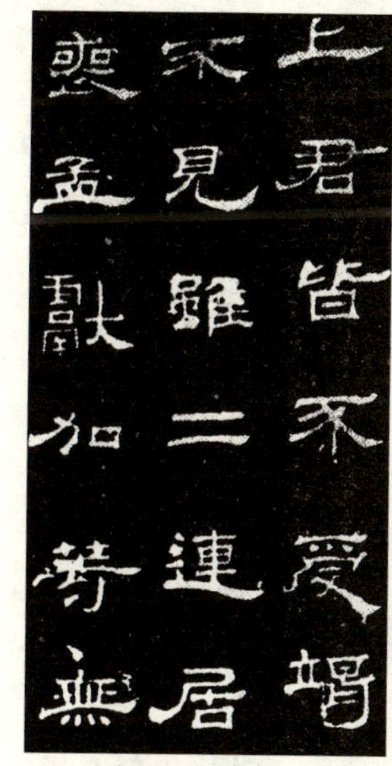

汉朝侯小子残碑

石言張景造郡屋刊刻精工筆法足勸
君莫買千金碑劉熊模糊史晨禿

廿三

石言张景造郡屋[1]，刊刻精工笔法足。
劝君莫买千金碑[2]，刘熊模糊史晨秃[3]。

张景残碑。

此石近年出土，残损无多，文辞可读。乃景出资为郡中造覆盖迎春土牛之屋[4]，世或称之为张景造土牛碑，盖未谛审也。

此碑体势严整中不失姿媚之趣。且石初出土[5]，字口完好。惟石质似逊于小子残碑，更拓数年，则未卜其丰采如何矣。

此类隶书，在汉碑中，本非稀见，惟古碑传世既久，毡捶往复[6]，遂致锋颖全颓，了无风韵。世传秦鲁名碑[7]，动称宋拓明拓，果出何年，了无确证。争得半划数点未泐[8]，其价每过连城，究其初发于硎时[9]，笔痕刃口，当属何状，则莫之或知也。吾每与友人品评汉碑，宁取晚出零玑[10]，不珍流传拱璧[11]。故于小子、张景诸残石精拓[12]，什袭把玩[13]，常与西陲简牍同观[14]，职此故耳[15]。

[注释]

① 石言：碑石所云。
② 千金碑：形容碑之价高。
③ 刘熊、史晨：碑名，皆可列入“千金碑”之列。
④ 郡中：地方上。 迎春土牛：当为祭神所用。
⑤ 初出土：此碑为二十世纪五六十年代出土。
⑥ 毡捶：拓碑。
⑦ 秦鲁名碑：陕西、山东的有名碑石。
⑧ 未泐（lè）：未损坏。碑文有损坏，习称泐。
⑨ 初发于硎：刚刻得时。
⑩ 零玑：碎块、小片，但确属珍品。
⑪ 拱璧：大幅作品，但真赝难定。
⑫ 小子：参见第廿二首。
⑬ 什袭：多层包裹，表珍藏。
⑭ 西陲简牍：参见第一首。
⑮ 职此：由此。

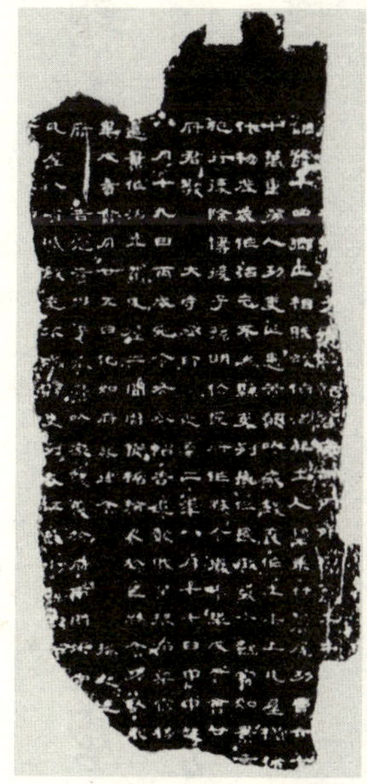

汉张景碑

北朝重造夏承碑高肅唐邕故等夷漢
隸繽紛無此體筆今貌古太支離

廿四

北朝重造夏承碑，高肃唐邕故等夷[①]。

汉隶缤纷无此体，笔今貌古太支离。

夏承碑疑北齐重立，如北宋之重立吊比干碑也[②]。

汉碑隶体，千妍万态，总其归趋，莫不出于自然。顿挫有畸轻畸重，点画亦或短或长，俱以字势为准。遍观西京东京诸石刻[③]，再印证竹木简牍，无一故作矫揉者。且汉隶既变篆籀[④]，自以简易为主。所谓“马头人为长，人持十为斗”[⑤]，论文字源流者，以之为俗；当世施用者，以之为便。历观诸碑，除碑额外，隶书之碑文中，绝不掺一篆体。

掺杂篆隶之体而混于一碑中，此风实自魏末齐周开始[⑥]，至隋而未息。今传夏承碑，字之结构杂用篆法，笔划又矫揉顿挫，转近唐隶之俗者，其整体气息，绝似兰陵王高肃碑、唐邕写经记一派。古碑重写重刻，历代不乏其例，吾故疑此碑为北朝重立者。

[注释]

① 高肃：即《兰陵王高肃碑》。高肃官爵为兰陵王。此碑为北齐人所造。 唐邕：即《唐邕写经记碑》，此碑记载了唐邕刻碑之事。碑在山东。 等夷：匹配，相当。

② 《吊比干碑》：原为魏碑，后不存，北宋时重刻，字画如龙门造像。碑阴有吴处厚题记，明确记载为北宋重刻。

③ 西京东京：西汉、东汉。

④ 篆籀：篆文和籀文，书法的两种形式。

⑤ “马头”二句：见《说文解字序》，意为“长”字是由“马”的头和“人”字构成，“斗”字是“人”字旁加“十”字构成，这些说法在当时都被认为是俗说。

⑥ 齐周：北齐、北周。

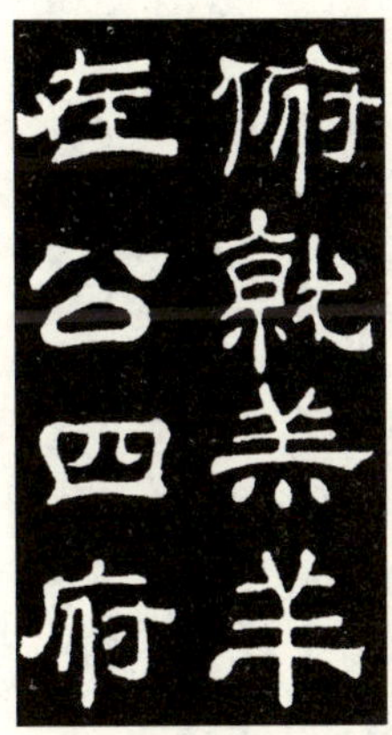

汉夏承碑

汉唐邕写经记

軍閥相稱你是賊誰為曹劉辨白黑八分至此漸澆漓披閱經年無所得

廿五

军阀相称你是贼，谁为曹刘辨白黑[1]。

八分至此渐浇漓[2]，披阅经年无所得。

曹真残碑。

此碑文中有“蜀贼诸葛亮”之语，初出土时，为人凿去“贼”字，故有贼字者，号蜀贼本，无贼字者，号诸葛亮本。继而诸葛亮三字又为人凿去。世虽以蜀贼字全者相矜尚，然实未尝一见也。有其字者，多出移补，或翻刻者。

桀犬吠尧，尧之犬亦吠桀也。犬之性，非独吠人，且亦吠犬，惟生而为桀之犬，则犬之不幸耳。人能无愧其为人，又何惭于犬之一吠哉！明乎此，知凿者近于迂而宝者近于愚矣。

汉隶至魏晋已非日用之体，于是作隶体者，必夸张其特点，以明其不同于当时之体，而矫揉造作之习生焉。魏晋之隶，故求其方，唐之隶，故求其圆，总归失于自然也。

此类隶体，魏曹真碑外，尚有王基残碑[3]，实则尊号、受禅、孔羡诸石莫不如此[4]。晋则辟雍碑[5]，煌煌巨制，视魏隶又下之，观之如嚼蔗滓，后世未见一人临学，岂无故哉！

[**注释**]

① 曹刘：曹操、刘备。

② 八分：八分书，即隶书。

③ 王基残碑：曹魏时碑，碑主名王基。

④ 尊号、受禅、孔羡诸石：皆为碑名。“尊号”指为曹丕上尊号，“受禅”指请曹丕受禅即位，“孔羡”为孔氏承祀者所立。诸碑皆在山东泰安。

⑤ 辟雍碑：抗战前出土。 辟：通“璧”。辟雍，本为西周天子所设之大学，校址圆形，围以水池，前门外有桥，也是行乡饮、大射或祭祀之地。

魏曹真碑

廿六

清颂碑流异代芳[1]，真书天骨最开张。

小人何处通温凊[2]，一字千金泪数行。

张猛龙碑，“冬温夏凊”字未泐者，传为明拓。

真书至六朝，体势始定。羲献之后，南如贝义渊[3]，北如朱义章、王远[4]，偶于石刻见其姓名。其他巨匠，淹没无闻者，不知凡几，盖当时风尚，例不书名也。张猛龙碑在北朝诸碑中，允为冠冕。龙门诸记[5]，豪气有余，而未免于粗犷逼人；芒山诸志[6]，精美不乏，而未免于千篇一律。惟此碑骨格权奇[7]，富于变化，今之形，古之韵，备于其间，非他刻所能比拟。

温凊凊字，碑书作清，与智永千文同[8]，知南北朝时尚不作凊，只是写清读靖耳。经书传写，偶有异文，后儒墨守，竟同铁案焉。

功获此碑旧拓本，温凊未泐。小子早失严怙，近遘慈艰，碑文不泐，若助风木之长号也。

清頌碑流異代芳真書天骨最開張小人何處通溫清一字千金淚數行

［注释］

① 清颂碑：即张猛龙碑。此碑又称《魏鲁郡太守张府君清颂碑》。

② 小人：作者自称。正如文中所云，时父母已亡。温凊：即文中所说的“冬温夏凊”，凊读作清（qìng，凉意）。

③ 贝义渊：南朝萧憺碑的写碑者。汉碑中很少刻上写碑人的姓名，因为当时这些人的社会地位很低。

④ 朱义章：写碑者，北朝龙门造像中曾见其名。 王远：写碑者，褒斜《石门铭》上有其名。他的官职只是县中的典签。

⑤ 龙门诸记：泛指龙门造像刻石。

⑥ 芒山诸志：洛阳之北北邙山有大片公墓，内有很多墓志。

⑦ 权奇：奇谲非凡。

⑧ 与智永千文同：《千字文》中有“夙兴温凊”之语，智永书写时亦写作“凊”。

北魏张猛龙碑

数行古刻有餘師焦尾奇音續色絲始
識彝齋心獨苦蘭亭出水補粘時

廿七

数行古刻有馀师[1]，焦尾奇音续色丝[2]。

始识彝斋心独苦[3]，兰亭出水补粘时。

余藏本尾有残损，曾以向拓法补全之。

其本淡墨精拓[4]，毫芒可见。世传重墨湿墨本[5]，模糊一片，即使损字俱存，亦何有于书法之妙哉！

此拓之尾，不知何时何故，失去数行。有善工以具字本补之[6]，拓墨风神，毫无二致。但多残损点划数处，因假友人所藏明拓本钩摹敷墨，以补其缺。出示观者，每不能辨。指示余所钤印处，始哑然而笑[7]。余颇自诩，今后虽有同时旧拓善本，亦不以此易彼焉。譬如赵子固得定武兰亭[8]，舟覆落水，登岸烘焙，此后其本转以落水得名[9]。余之决眦钩摹又数倍于烘焙之力矣。

[**注释**]

① 数行古刻：赵孟頫曾云：“昔人得古刻数行，专心学之便可名世。”馀师：为师有馀。

② 焦尾：古琴名。据《后汉书·蔡邕传》：“吴人有烧桐以爨者，邕闻火裂之声，知其良木，因请而裁为琴，果有美声，而其尾犹焦，故时人名曰焦尾琴。”色丝：据《世说新语·捷悟》：“魏武尝过曹娥碑下，杨修从。碑背上见题作‘黄绢幼妇外孙齑臼’八字。魏武谓修曰：‘解否？’……修曰：‘黄绢，色丝也，于字为“绝”；幼妇，少女也，于字为“妙”；外孙，女子也，于字为“好”；齑臼，受辛也，于字为“辞”；所谓“绝妙好辞”也。’”

③ 彝斋：即赵孟坚（子固）。

④ 淡墨：与“重墨”、“湿墨”相对而言，这种拓本一般不易伤及字口。

⑤ 重墨：拓时层层着墨。湿墨本：纸未干时即施墨。

⑥ “具”字本：文中“具”字未损之本，是较晚的拓本。

⑦ “指示”二句：谓作者向观者指示自己在修补之处所钤之印，他们才看清修补之痕。

⑧ 定武兰亭：参见第四首。

⑨ 以落水得名：后人称之为“落水本”。

北魏张猛龙碑

世人那得知其故墨水池頭日幾臨可
望難追仙迹遠長松萬仞石千尋

廿八

世人那得知其故[1]，墨水池头日几临[2]。
可望难追仙迹远[3]，长松万仞石千寻[4]。

“积石千寻，长松万仞”[5]，碑中语也。

余于书，初学欧碑、颜碑，不解其下笔处，更无论使转也[6]。继见赵书墨迹[7]，逐其点画，不能贯串篇章，乃学董，又学米[8]，行联势贯矣，单提一字，竟不成形。且骨力疲软，无以自振。重阅张猛龙碑，乃大有领略焉。

北朝碑率镌刻粗略，远逊唐碑。其不能详传毫锋转折之态处，反成其古朴生辣之致。此正北朝书人、石人意料所不及者。张猛龙碑于北碑中，较龙门造像，自属工致，但视刁遵、敬显儁等[9]，又略见刀痕。惟其于书丹笔迹在有合有离之间，适得生熟甜辣味外之味，此所以可望而难追也。

昔包慎伯遍评北碑，以为张猛龙碑最难摹拟，而未言其所以难拟之故。自后学言之[10]，职此之故而已。

[注释]

① “世人”句：指世人不了解自己曾付出的努力。语出《书谱》。

② “墨水池头”句：王羲之临池习书法处。习后因洗涤笔砚，池水皆为之变黑。又，王羲之在致友人书中曾云：“张芝（东汉书法家，号称‘草圣’）临池学书，池水尽黑，使人耽之若是，未必后之也。”

③ 可望难追：可以望见，但难以追及。 仙迹远：指《张猛龙碑》。

④ “长松”句：如文所云，本是碑中语，这里赞美它艺术水平的高度。

⑤ “积石”二句：本是碑中歌颂张猛龙政绩之语。

⑥ 使转：谓笔画转折处。孙过庭《书谱》：“真书以点画为形质，以使转为性情；草书以使转为形质，以点画为性情。”

⑦ 赵书：赵孟頫书法。

⑧ 董：董其昌。 米：米芾。

⑨ 刁遵：墓志名，墓主名刁遵。 敬显儁：碑名，出资立碑者名敬显儁。

⑩ 后学：作者自谦。

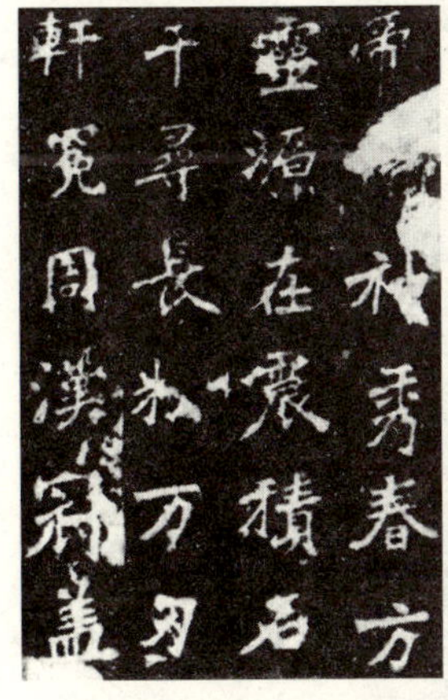

北魏张猛龙碑

江表巍然真逸銘迢迢魯郡得同聲浮
天鶴響禽魚樂大化无方四海行

廿九

江表巍然真逸铭[①]，迢迢鲁郡得同声[②]。

浮天鹤响禽鱼乐[③]，大化无方四海行。

张猛龙碑书势与瘗鹤铭同调，文有“禽鱼自安”及“鹤响难留”之句。

梁刻瘗鹤铭在镇江焦山，魏刻张猛龙碑在山东曲阜，书碑时两政治集团正对峙，“岛夷”、“索虏”[④]，讦詈不休之时[⑤]，而书风文笔，并未以长江天堑有所隔阂。乃知中华文化，容或有地区小异，终不影响神州之大同也。

自拓本观之，瘗鹤铭水激沙砻，锋颖全秃，与张猛龙碑之点画方严，一若绝无似处者。自书体结构观之，两刻相重之字若鹤字、禽字、浮字、天字等等，即或偏旁微有别构，而体势毫无差异。乃知南北书派，即使有所不同，固非有鸿沟之判者。今敦煌出现六朝写经墨迹，南北经生遗迹不少，并未见泾渭之分，乃知阮元作“南北书派论”，多见其辞费耳。

［注释］

① 江表：江南一带或江岸一带。《瘗鹤铭》是南朝时在镇江焦山上的一件石刻。 真逸铭：即指《瘗鹤铭》，著名的摩崖刻石，华阳真逸撰，上皇山樵书。这里作者以《真逸铭》代指《瘗鹤铭》。

② 鲁郡：今山东省一带。《张猛龙碑》在曲阜，故云。

③ “浮天”句：如文中所云，其语皆出《张猛龙碑》，而其中“鹤响”的“鹤”字与《瘗鹤铭》的“鹤”字又同为一字，故借此引出下句。

④ 岛夷：北方政治集团对南朝人的蔑称。索虏：南方政治集团对北方留辫子少数民族的蔑称。

⑤ 讦詈（jié lì）：攻击责骂。

瘗鹤铭

銘石莊嚴简札道方圓水乳費探求萧
梁元魏先河在结穴遥归大小歐

三十

铭石庄严简札道[1]，方圆水乳费探求[2]。
萧梁元魏先河在[3]，结穴遥归大小欧[4]。

六朝书派，至大小欧阳，始臻融会贯通。端重之书，如碑版、志铭，固无论矣。即门额、楹联、手板、名刺[5]，罔不以楷正为宜。盖使观者望之而知其字、明其义，以收昭告之效耳。扩而言之，如有人于门前贴零丁[6]，曰“闲人免进”，而以甲骨金文或章草今草书之，势必各加释文，始能真收闲人免进之效。简札即书札简帖，只需授受两方相喻即可，甚至套格密码，惟恐第三人得知者亦有之，故无贵其庄严端重也。此碑版简札书体之所以异趋，亦“碑学”“帖学”之说所以误起耳[7]。

碑与帖，譬如茶与酒。同一人也，既可饮茶，亦可饮酒。偏嗜兼能，无损于人之品格，何劳评者为之轩轾乎？

唐太宗以行书人碑[8]，盖以帝王之尊，不尽顾及路人之识与不识。武则天以草书入碑[9]，其碑乃以媚其面首者。燕昵之私[10]，中冓之丑[11]，何所不至？彼不顾路人之全不能识，而路人亦正掩目而走，又何须责以金石体例乎！

唐欧阳询书皇甫诞碑

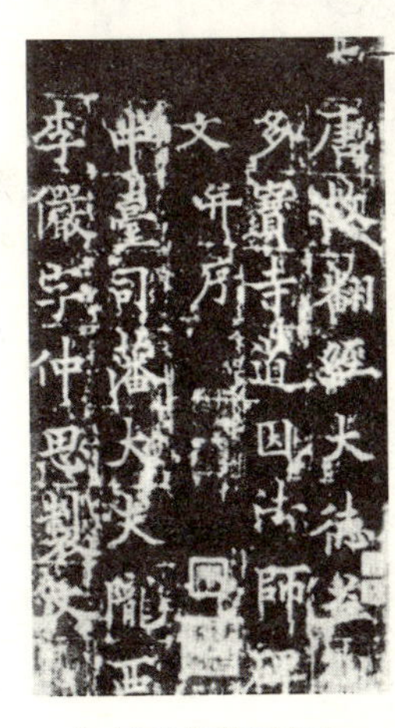
唐欧阳通书道因法师碑

[注释]

① 铭石：铭石书，刻碑时常用的字体。

② 方圆：指用笔、笔划的或方或圆。 水乳：使方圆得到统一。

③ 萧梁：代指南朝。 元魏：代指北朝。 先河在：指已有能将方圆笔势交融在一起者，如南朝的萧憺，北方的刁遵、敬显君在刻成方笔的时代中属刻法圆美者。

④ 遥归大小欧：如《九成宫》字之结构虽方，但笔划却很圆融。 大欧：父欧阳询。 小欧：子欧阳通。

⑤ 手板：即手本。见上司、座师或责官所用的名帖。 名刺：犹名片，亦称“名纸”、“名帖”。

⑥ 零丁：便条，小条。

⑦ “碑学”“帖学”之说所以误起：“帖”本为随手而写的便条，“碑”本为庄重记事，二者功能及用途本不一样，本无学可言，在“碑”与“帖”之间强分优劣是不必要的。

⑧ 唐太宗以行书入碑：参见第八首。

⑨ 武则天以草书入碑：指缑山《升仙太子碑》，其碑说张昌宗乃是仙人王子乔的后代，故下文云“以媚其面首者”。 面首：供贵夫人玩弄的美男子。见《宋书·前废帝纪》山阴公主之事。昌宗乃则天之面首也。

⑩ 燕昵：私下亲近。

⑪ 中冓：犹言男女隐秘幽居之处。

出墨無端又入楊前摹松雪後香光如今只愛張神冏一劑強心健骨方

卅一

出墨无端又入杨[1]，前摹松雪后香光[2]。
如今只爱张神冏[3]，一剂强心健骨方。

右六首皆题张猛龙碑。

碑主张君名猛龙，字神⿴囗只，此⿴囗只字聚讼最多，实则⿴囗只字即囧、冏之别构耳。郭宗昌《金石史》释为留字，又注其音为匆骨切，固风马牛不相及也。

其后碑石微剥，晚拓本字又似圆，于是又有释囦者，盖以古渊字附会也[4]。

余所获明精拓本，其字固分明为“囗”中“只”字，继见魏齐郡王妃常季繁墓志中此字作囧[5]，其为冏之别构，益足信而不疑。盖⿴囗只有围义，人居之围墙，马牛之圈囿，义皆可通，故古太仆官职司养马，乃有⿴囗只卿之号。而龙喻神驹，豢龙必以神⿴囗只，此张君名字相应之所取义，固彰明较著者焉。近代顾燮光先生著《梦碧簃石言》[6]，于张猛龙碑条之注中曾详举异说，折衷定为冏字，是鄙说之所本也。

[注释]

① 墨：墨子。杨：杨朱。此二人在儒家看来都不属正统人物。按：此诗皆说自己。
② 松雪：赵孟頫。香光：董其昌。
③ 张神冏：即张猛龙，碑主名。神冏：养神马的圈（juàn）。
④ 古渊字：“渊”的古体字作“囦”。
⑤ 常季繁：碑主名。
⑥《梦碧簃石言》：参见第廿二首注③。

张猛龙碑

題記龍门字勢雄就中尤屬始平公學
書別有觀碑法透過刀鋒看筆鋒

卅二

题记龙门字势雄[①]，就中尤属始平公[②]。
学书别有观碑法，透过刀锋看笔锋。

龙门造像题记数百种，拔其尤者，必以始平公为最，次则牛橛[③]，再次则杨大眼[④]。其余等诸自郐[⑤]。

始平公记，论者每诧其为阳刻[⑥]，以书论，固不以阴阳刻为上下床之分焉。可贵处，在字势疏密，点画欹正，乃至接搭关节，俱不失其序。观者目中，如能泯其锋棱，不为刀痕所眩，则阳刻可作白纸墨书观，而阴刻可作黑纸粉书观也。

此说也，犹有未尽，人苟未尝目验六朝墨迹，但令其看方成圆[⑦]，依然不能领略其使转之故[⑧]。譬如禅家修白骨观[⑨]，谓存想人身，血肉都尽，惟余白骨。必其人曾见骷髅，始克成想。如人未曾一见六朝墨迹，非但不能作透过一层观，且将不信字上有刀痕也。

余非谓石刻必不可临，惟心目能辨刀与毫者，始足以言临刻本，否则见口技演员学百禽之语，遂谓其人之语言本来如此，不亦堪发大噱乎！

[注释]

① 题记龙门：龙门造像洞内的题记。

② 始平公：碑名。始平公为出钱造像者之名。

③ 牛橛：出钱为儿子牛橛所刻之碑。

④ 杨大眼：出钱造像者之名。

⑤ 郐（kuài）：古国名，在今河南新郑一带。与曹国等均为小国，故常有“曹郐浅陋”之讥。 等诸自郐：泛指皆为浅陋。

⑥ 阳刻：字迹凸出。

⑦ 看方成圆：将刀刻的方笔看成圆笔。刻碑石因刀工的原因，笔画多呈方态，故云。

⑧ 使转：参见第廿八首注⑥。

⑨ 白骨观：禅家修炼法之一。

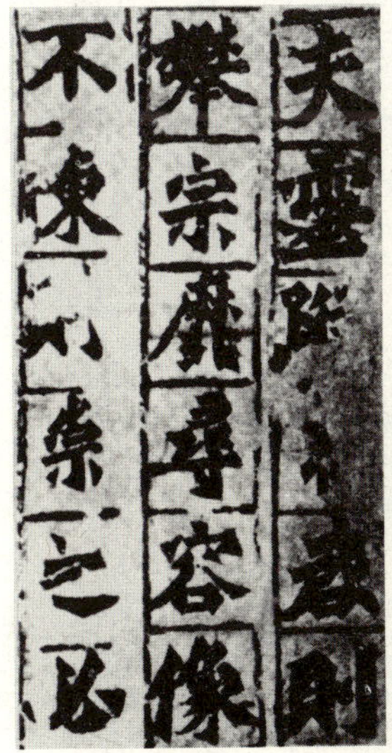

始平公造像记

卅三

王帖惟余伯远真[1]，非摹是写最精神。
临窗映日分明见，转折毫芒墨若新。

王帖惟餘伯遠真非摹是寫最精神臨
窗映日分明見轉折毫芒墨若新

今存之晋人帖，世上流传而非由出土者，只有二纸。一为平复帖，一为伯远帖，其余莫非辗转钩摹，其能确出唐人之手者，已不啻祥麟威凤矣[2]。伯远原居三希之末[3]，而快雪唐拓，中秋米临，今日已成定谳[4]。论者于伯远犹在即离之间[5]。

余尝于日光之下，映而观之，其墨色浓淡，纯出自然。一笔中自具浓淡处无论已[6]，即后笔过搭前笔处，笔顺天成，毫锋重叠，了无迟疑钝滞之机，使童稚经眼，亦可见其出于挥写者焉。

惟其纸少麻筋[7]，微见蛀孔，或有疑之者。余近见敦煌所出北周大定元年写经[8]，正有蛀孔。盖造纸因地取材，藤麻互用[9]，苟其书风不古，纸质徒精，亦未见其可据也。

[注释]

① “王帖”句：意谓王羲之家族的书法作品只有王珣所留传下来的《伯远帖》是当时手写的真迹。

② 祥麟威凤：麒麟为祥瑞之兽，凤凰亦为瑞鸟，且有威仪，故称，言其稀有。

③ 三希：指王羲之的《快雪时晴帖》、王献之的《中秋帖》及王珣的《伯远帖》。乾隆将其称之为“三希”，并将收藏这三种帖的养心殿称之为“三希堂”。

④ 定谳（yàn）：定论。

⑤ 即离之间：是非之间。

⑥ 无论已：不用说了。已，通“矣”。

⑦ 纸少麻筋：纸中麻的成分较少。麻筋多的不易被虫蛀，故有下文“蛀孔”之说。

⑧ 北周大定元年：公元 581 年。

⑨ 藤麻互用：或用麻，或用藤。

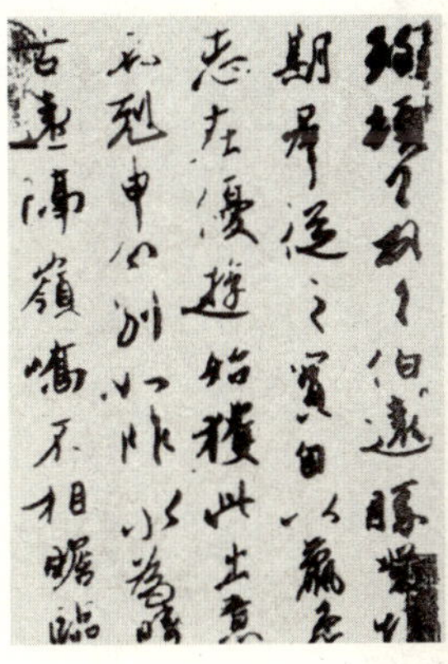

晋王珣伯远帖

卅四

瑯琊奕代盡工書真贗同傳久不殊萬
歲通天留嚮搨金輪功績過天樞

琅琊奕代尽工书[1]，真赝同传久不殊。

万岁通天留向拓[2]，金轮功绩过天枢[3]。

武则天欲观王方庆家藏其累世先人遗墨[4]，方庆进之，则天命工摹存副本，事载史乘[5]。今残存羲之以下数帖，方庆进呈时署年万岁通天，后世即以名其帖卷。原摹本，纸质加蜡[6]，钩笔极细。棘刺蝇须[7]，不足为状也。

近世此卷未发现之前，论唐摹右军帖，多推日本流传之丧乱帖、孔侍中帖[8]。盖以其有“延历敕定”之印[9]，著录于《东大寺献物账》[10]，足以确证其为唐摹者。今此卷自石渠宝笈流出[11]，重现人间，进帖之年月俱在，钩摹自出当时。复有北宋史馆之印，南宋岳倦翁跋[12]，卷中羲献帖外，复有僧虔诸贤之迹[13]。其堪矜诩处[14]，殆不止问一得三矣。

武则天荒淫酷虐，原不足奇，盖历代之统治者皆然，如狼嗜肉而蚊嗜血，其本性所赋者耳。可奇者在自立天枢，以夸功德，留为民族史策之丑，而不自知。今观其摹留此帖，不谓为功不可也，一惠可节[15]，稍从末减[16]！

[注释]

① 琅琊：王氏有琅琊王氏、太原王氏之别，王羲之家族属琅琊王氏。 奕代：历经各代。

② 万岁通天：本为武则天年号（696—697）。因王方庆所进之帖署年“万岁通天”，所以又称此帖为《万岁通天帖》。

③ 金轮：武则天自称金轮皇帝。天枢：唐延载元年（694），武则天所立自纪功德的柱子。开元初诏令毁之。据《旧唐书·则天皇后纪》：“梁王武三思劝率诸蕃酋长奏请，大征敛东都铜铁，造天枢于端门之外，立颂以纪上之功业。”枢：柱子。

④ 王方庆：王羲之十代孙。

⑤ 史乘：史书、史册。

⑥ 加蜡：纸上涂蜡并加热融化，使纸变得透明。

⑦ 棘刺蝇须：像荆棘的刺和苍蝇的须。

⑧ 丧乱帖、孔侍中帖：见第三首。

⑨ 延历敕定：见第三首注⑥。

⑩ 《东大寺献物账》：日本圣武天皇死后，皇后藤原氏将天皇所用之物及所收藏的书籍文物和自己的书法作品捐给东大寺。捐时将所有物品列出目录，称《东大寺献物账》。

⑪ 石渠宝笈：清内府所藏书画。参见第九首注⑦。 按：此卷后来流传民间，今藏辽宁博物馆。

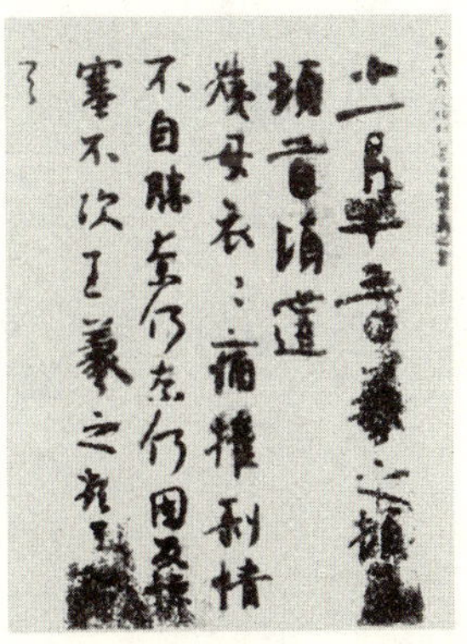

唐武则天万岁通天时摹王氏帖

⑫ 岳倦翁：岳珂，岳飞之孙。

⑬ 僧虔：王洽曾孙，琅琊王氏家族之人。南齐著名书法家及书法理论家。

⑭ 矜诩：自鸣得意。

⑮ 一惠可节：《礼记》在讲谥法时有“节以一惠”之说，即从所有的优点中挑出最显著者为谥号。此处指武则天所作此事尚可褒奖。

⑯ 稍从末减：从罪过中减去一点。

或言異趣出鉤摹章草如斯世已無梁武標名何足辨六朝柔翰壓奇觚

卅五

或言异趣出钩摹[①]，章草如斯世已无[②]。

梁武标名何足辨[③]，六朝柔翰压奇觚[④]。

佚名章草异趣帖，旧题梁武帝，以其作释典语耳[⑤]。

此帖两行，字大径寸，体作章草。文曰：“爱业愈深，一念修怨，永堕异趣。君不。”笔势翔动，点画姿媚，而古趣盎然，绝非唐以后人所能到。今传世诸章草法书，惟出师颂墨迹可相伯仲[⑥]，所谓索靖月仪[⑦]，徒成桃梗土偶而已[⑧]。

米元章墨迹元日等帖及群玉堂帖所刻论晋武帝书等帖[⑨]，皆力追此种，可谓形神俱得者。然元章论月仪云：“时代压之，不能高古。”今以异趣较之，元章亦不能逃乎时代也。

此帖昔由西充白氏售诸海外[⑩]，余闻之白氏云实出唐人钩摹，然自影本观之，毫锋顿挫，一一不失，即作六朝真迹观，又何不可。

章草法书，近世出土不鲜。自汉晋简牍，至唐世所书经论，皆真实不伪者，以云其善，容不尽能[⑪]，况善而且美者乎？此帖真虽未足，而善美有加，章草之帖，端推上选。

[注释]

① 异趣：指《异趣帖》。

② 章草：草书的一种，笔画带有隶书的波磔之迹，每字独立，不连写。

③ “梁武”句：此帖作者已不可考，后人把它归作梁武帝之作不足为凭。

④ 柔翰：指毛笔所写之字。 奇觚：指汉代的《急就章》，因《急就章》首有“急就奇觚与众异”之语。此句是说章草体的《异趣帖》胜过汉代隶书体的《急就章》。

⑤ “以其”句：《异趣帖》乃为释典之语，因梁武帝以好佛著称，故人们把《异趣帖》归作梁武帝之作。图中所引《异趣帖》二行皆为释家之语。

⑥ 《出师颂》：参见第卅七首。

⑦ 索靖：西晋书法家。 月仪：《月仪帖》。月仪指按月编排的礼节所用的书信范本。

⑧ 桃梗土偶：谓毫无生气之作。

⑨ 群玉堂：见第七首注⑤。

⑩ 西充：四川西充。

⑪ 以云其善，容不尽能：可说都好，但并非全都精美。

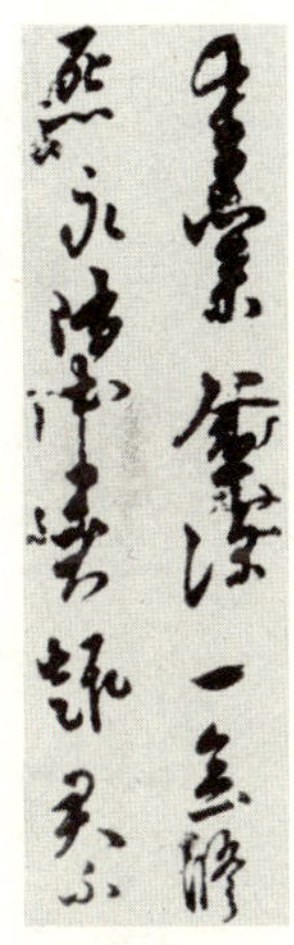

传梁武帝异趣帖

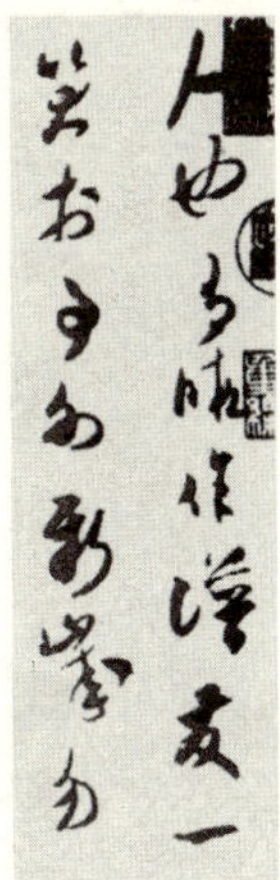

米芾元日帖

卌六

永师真迹八百本[①]，海东一卷逃劫灰[②]。

儿童相见不相识，少小离乡老大回[③]。

智永千文墨迹本，唐代传入日本，持较北宋长安刻本及南宋群玉堂帖刻残本四十二行[④]，再证以六朝墨迹，知其当为永师真迹。

此本自卷改册[⑤]，不知何时。约当有清季世[⑥]，入于谷铁臣氏之手[⑦]，转归小川为次郎氏，始影印行世。有内藤虎次郎氏长跋,以为即《东大寺献物账》中所载之王羲之千文[⑧]，其言是也。世传千文为集右军畸零单字而成，说虽不经，而其来甚远，账中误题，并无足异。其为遣唐使者携归者则断然不疑者也[⑨]。永师写千文八百本，散施浙东诸寺，当年唐日交通，必经海道，浙东得宝，事理宜然。

内藤氏跋疑为唐摹，又见其毫锋墨渖悉出自然[⑩]，并非双钩廓填者比[⑪]，乃谓钩摹复兼临写，诚未免遁辞知其所穷矣[⑫]。余尝戏书其后云："当真龙下室之时[⑬]，为模棱两可之论。"此盖时代所限,无如之何。如今所见之西汉帛书[⑭],使姚际恒、廖平、康有为见之，又莫非刘歆所造者矣[⑮]。

永師真迹八百本海东一卷逃劫灰兒
童相見不相識少小離鄉老大回

[**注释**]

隋智永千字文陕刻本

隋智永千字文墨迹本

① 永师：智永。 八百本：智永曾手书《千字文》八百通。

② “海东”句：指惟有日本所藏的智永千字文未被战火所烧，保存下来。

③ “儿童”句：谓现在中国又能见到日藏智永千字文，但很多人却不认得这是真迹。这两句套用贺知章的《回乡偶书》一诗。

④ 长安刻本：即附图所云“陕刻本”。群玉堂帖：参见第七首注⑨。

⑤ 自卷改册：原为手卷，后裁开，裱成册。

⑥ 季世：晚期。

⑦ 谷铁臣：日人之名。下文之小川为次郎、内藤虎次郎，皆为日人。

⑧《东大寺献物账》：参见第卅四首注⑩。《东大寺献物账》列有《千字文》，即指此件作品。但又谓《千字文》乃为集王羲之之字，此乃据世传之言，故有下文。

⑨ 遣唐使：日本派往唐代的使者。

⑩ 墨渖：墨汁。

⑪ 双钩廓填：先钩边后填墨。

⑫ “遁辞”句：意谓理屈辞穷后用来支吾搪塞的话。语出《孟子·公孙丑上》：“诐辞知其所蔽，……遁辞知其所穷。”

⑬ 真龙下室：用叶公好龙之典。

⑭ 西汉帛书：指马王堆出土的文物。

⑮ “使姚际恒”二句：姚际恒为清初人，著有《古今伪书考》；廖平、康有为是晚清今文学派学者，他们的共同特点是认为很多古书都是后人伪造的。故作者由此联想到他们如见到此“千文墨迹本”，又会发出类似《左传》为刘歆所伪造的议论了。

隋賢墨迹史岑文冒作索靖蕭子雲漫
說虛名勝實詣葉公從古不求真

卅七

隋贤墨迹史岑文[①]，冒作索靖萧子云[②]。

漫说虚名胜实诣[③]，叶公从古不求真[④]。

佚名人章草书史岑出师颂。米友仁定为隋人书。宋代以来丛帖所刻，或题索靖，或题萧子云，皆自此翻出者[⑤]。此卷墨迹，章草绝妙。米友仁题曰隋人者，盖谓其古于唐法，可称真鉴。昔人于古画牛必属戴嵩[⑥]，马必属韩幹[⑦]。世俗评法书，隶必属蔡、钟[⑧]，章必属索、萧，亦此例也。

墨迹本有残损之字，有笔误之字，丛帖本中，处处相同，故知其必出一源。余所见各帖本笔划无不钝滞，又知其或出于转摹，或有意求拙，以充古趣，第与墨迹比观[⑨]，诚伪不难立判焉。

世又传一墨迹本，题作索靖。染纸浮墨[⑩]，字迹拘挛。宋印累累，无一真者。后有文彭跋数段[⑪]，曾藏于浭阳端氏[⑫]，见其所著《壬寅消夏录》[⑬]，涵芬楼有影印本。后归余一戚友家，曾获见之，盖又在丛帖刻本之下也。

余常遇观古画者，于无款之作，每相问：“这到底是谁画的？”因悟失名书画之一一妄添名款者，皆为应此辈之需耳。

[注释]

隋人书史岑《出师颂》

① 隋贤：史岑《出师颂》墨迹当为隋朝某人所书，因佚其名，故称。 史岑：汉人，字孝山，其《出师颂》见于《文选》。

② 索靖：西晋书法家。 萧子云：南朝书法家。

③ 实诣：实际造诣。

④ “叶公”句：用叶公好龙的典故，批评某些人只图虚名而不辨真伪。

⑤ 翻出：翻刻。

⑥ 戴嵩：唐代著名画家，尤善画牛。

⑦ 韩幹：唐代著名画家，尤善画马，与戴嵩齐名，并称“韩马戴牛”。

⑧ 蔡、钟：蔡邕与钟繇。

⑨ 第：但。

⑩ 染纸浮墨：将纸染成旧色，墨迹浮在上面。

⑪ 文彭：明人，文徵明之子。

⑫ 端氏：端方，晚清人。

⑬ 《壬寅消夏录》：端方将自己收藏品汇编成的目录。

真書漢末已胚胎鍾體嬰兒尚未孩直至三唐方爛漫萬花紅紫一齊開

卅八

真书汉末已胚胎，钟体婴儿尚未孩①。

直至三唐方烂漫②，万花红紫一齐开。

唐人真书。

自古字体递嬗，皆有其故。人事日趋繁缛，器用日求便利，此自然之理也。文字为日用之工具，字形亦必日趋便利，始足济用也。试计字体变迁，甲骨不出殷商③，金文沿续稍久④，小篆与秦偕亡，隶书限于两汉。此谓其当日通用之时，不包括后世仿古之作也。惟真书自汉末肇端，至今依然沿用，中间虽有风格之殊，而结构偏旁，却无大异。其故无他，书写既能便利，辨识复不易混淆，其胜在此，其寿亦在于此。

以艺术风格言，钟繇古矣，而风致尚未极妍；六朝壮矣，而变化容犹未富。至于点画万态，骨体千姿，字字精工，丝丝入扣者，必以唐人为大成焉。此只论其常情，非所计于偏嗜耳。“如婴儿之未孩”，老子语也。

[**注释**]

① 钟体：钟繇体。钟繇，汉末曹魏时书法家。

② 三唐：即唐朝。指初唐、盛唐、晚唐。

③ 甲骨不出殷商：谓甲骨文的使用皆在殷商时代。

④ 金文：亦称钟鼎文，古代铜器上所铸刻的文字，通常专指殷周秦汉铜器上的文字，故与甲骨相比“沿续稍久”。

唐张令晓告身

唐人书阿毗昙毗婆沙论

六朝別字體無憑三段妖書語莫徵正始以來論篆隸唐人畢竟是中興

卅九

六朝别字体无凭[1]，三段妖书语莫征[2]。
正始以来论篆隶[3]，唐人毕竟是中兴。

平生不喜雅俗之说，文字尤难以雅俗为判。盖文字者，符号也，安见一二三即雅，而〡〢〣即俗乎[4]？惟文字贵在通行，符号取其共识。如不能通行共识，便成密码。途人共好，遂谓之俗，苟为密码，则虽欲求其俗，亦不可得矣。《干禄字书》所标俗体[5]，以视六朝别字，犹多易识，乃知闭门造字，专辄为书[6]，人不能识，斯真俗不可医者也。

六朝俗书，以天发神谶为戎首[7]。扁笔作隶，曹魏已肇其端。其笔毫绝似今之扁刷，而三段神谶碑则以扁刷作篆。车轮四角，行远何堪，况其事其文，俱属吴国之妖孽，不谓为俗，殆不可焉。

平心而论，正始之三体石经[8]，非独第一字犹存孔壁遗型[9]，第二第三字亦莫非举世共识之体。中经六朝，至唐人始遥接典范。今人不敢薄唐篆而轻议唐隶[10]，吾未见其有当也。

[注释]

① 别字：误写之字，其中也应包括不规范的字、代用字、异体字。

② 三段妖书：即文中所说的三段神谶碑。因原石为三层叠起的，单看一片不成文，故又称《三段碑》。其文都是妖书谶语。 莫征：没有证据。

③ 正始：魏齐王曹芳年号（240—249）。

④ 一二三：谓横写。丨‖‖丨：谓竖写。又，旧时记账有将一二三写成丨‖‖丨者。

⑤ 《干禄字书》：颜真卿之祖父颜元孙所编，专讲规范字与异体字的书，如云某字为俗，某字为正，某为通用。后经颜真卿书丹，刻成碑。有趣的是颜真卿也未全按其祖父所说的正规体来书写。

⑥ 专辄为书：以主观专断的方法来确定文字书写。语出《说文序》。

⑦ 天发神谶：吴国孙休时碑名。吴国亦属六朝，故上文云："六朝俗书"。碑中所书皆谶语，故下文云："属吴国之妖孽"。 戎首：祸首。

⑧ 三体石经：曹魏时期正始年间所编。每字都用三种字体来写，第一字为古文，第二字为小篆，第三字为隶书。

⑨ 孔壁：孔子故宅的墙壁，从中发现很多古文经书，所以说《三体石经》中的第一种字体"犹存孔壁遗型"。

⑩ "今人"二句：意谓不但唐篆好，唐隶也好。附图《唐史惟则隶书大智禅师碑》就是优秀的隶书作品。

吴天发神谶碑

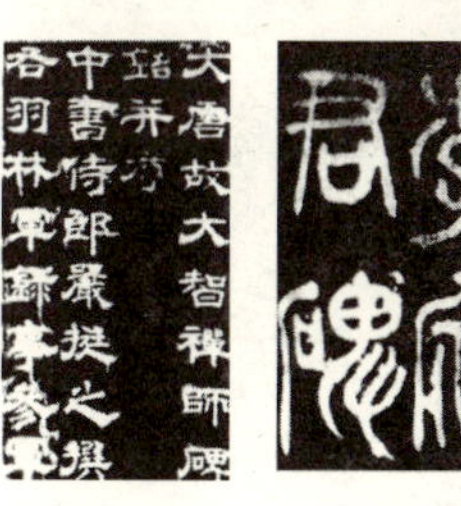

唐史惟则隶书大智禅师碑

唐人篆书李思训碑额

事業貞觀定九州巍峨宮闕起麟遊行人不說唐皇帝細拓豐碑寶大歐
觀從平讀

四十

事业贞观定九州[1]，巍峨宫阙起麟游[2]。

行人不说唐皇帝[3]，细拓丰碑宝大欧。

（观从平读）

九成宫醴泉铭[4]。

唐太宗集矢于弟兄，露刃于慈父[5]，翦灭群雄，自归馀事[6]。避暑九成，甘泉纪瑞，所以粉饰鸿业者至矣。魏钜鹿之文[7]，欧渤海之字[8]，俱一时之上上选也。然今之宝此碑者，一波一磔，辨入毫芒；或损或完，价殊天地者，但以其书耳。至其文，群书俱在，披读非难，而必挂壁摊床，通观首尾者，意不在文明矣。文且无关，何有于事？事之不问，何有于人？乃知挂弓之虬须[9]，有愧于书碑之鼠须多矣[10]！

每见观碑之士，口讲指画者，未尝有一语及于史事，以视白头宫女，闲说玄宗，情殊冷暖[11]，其故亦有可思者。此石今在西安，累代毡捶，已邻没字[12]。而观者摩挲，犹诧为至宝。至榷场翻摹[13]，秦家精刻[14]，至今尚获千金之享，故昔人云：翰墨之权[15]，堪埒万乘也[16]！

[注释]

① 贞观：唐太宗李世民的年号（627—649），是唐代最强盛的时期，史称“贞观之治”。

② 麟游：县名，昭陵（唐太宗陵墓）所在县。

③ 行人不说唐皇帝：反用元稹《行宫》诗意：“寥落古行宫，宫花寂寞红。白头宫女在，闲坐说玄宗。”

④ 九成宫醴泉铭：欧阳询所书。碑在今陕西麟游县西。九成宫为唐太宗避暑之行宫，铭文所记为唐太宗在九成宫避暑发现涌泉之事。

⑤ “唐太宗”二句：指玄武门之变，唐太宗李世民由此夺得皇位。可参见新旧《唐书》太宗本纪。

⑥ “翦灭”二句：承上，意谓连兄弟都敢杀，父亲都敢威逼，至于消灭群雄，更不在话下，不值一提了。

⑦ 魏钜鹿：魏徵，封钜鹿郡公。

⑧ 欧渤海：欧阳询，封渤海县男。

⑨ 挂弓之虬须：据说唐太宗之须两头向上翘起，上可挂弓。

⑩ 鼠须：指笔。

⑪ “以视”三句，参见注释③，意谓玄宗遗事每被宫女提起，颇富人情，而人们看九成宫碑，只赏其字，而不提太宗之事，显出其人情之冷漠。 视：相比较。

⑫ 已邻没字：已快成无字碑了。

⑬ 榷场：南宋与金在盱眙所设的交易市场。

⑭ 秦家：乾隆时无锡秦家存有一精致的翻刻版，每翻印一本价百两银。

⑮ 翰墨：笔墨。

⑯ 埒：匹敌。 万乘：皇帝。

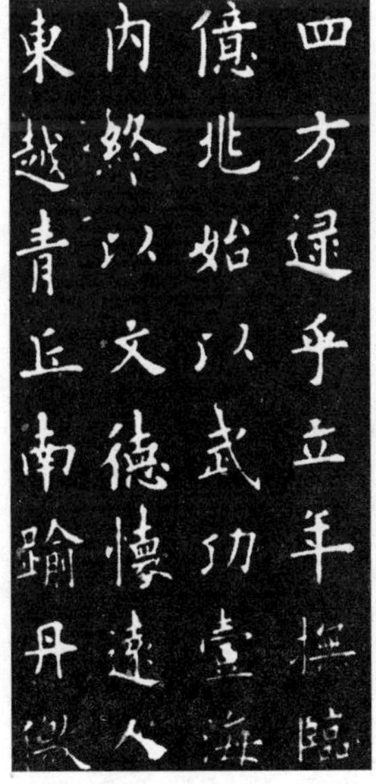

唐欧阳询书九成宫碑

買櫝還珠事不同拓碑多半為書工滔滔駢散終何用幾見藏家誦一通

四一

买椟还珠事不同[①]，拓碑多半为书工[②]。

滔滔骈散终何用[③]，几见藏家诵一通。

前诗意犹未尽：夫古董家藏金石，争奇斗胜，辨点画之秾纤，较泐痕之粗细，其意不在文，固人所共喻者。若叶鞠裳先生撰《语石》[④]，自石刻之渊源、形制、文体、书风，以至论人、考史、佚事、馀闻，莫不爬罗搜剔，细大无遗。乐石之学[⑤]，至此可谓独辟鸿蒙[⑥]，兼包并孕者矣。惟其自述收集拓本，指归仍在于书，以为书苟不佳，终不入赏。鞠翁犹复如此，又遑论于孙退谷、翁覃溪诸家哉[⑦]。

然自书法言之，崇碑巨碣，得名笔而益妍；伟绩丰功，借佳书而获永。是知补天之石[⑧]，尚下待于毛锥[⑨]；建国之勋，更旁资于丹墨[⑩]。虽燕许鸿文[⑪]，韩柳妙制，于毡蜡之前[⑫]，仅成八法之楦[⑬]，又何怪藏碑者多而读碑者少乎？

夫撰文所以纪事，濡丹所以书文[⑭]，而往往文托书传[⑮]，珠轻椟重。岂谀墓过情者，有以自取耶[⑯]？

[注释]

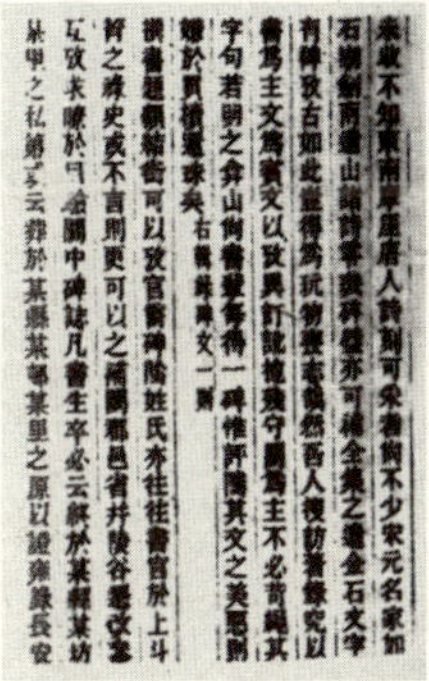

① 买椟还珠：事见《韩非子·外储说左上》。大意是说珠子不好，但盛珠子的盒子很好，以致买主只想买盒子而宁愿送还珠子。后喻舍本逐末，取舍不当。这里“椟”指碑上之字，“珠”指碑上之文，意谓碑本来是为纪事的，当以文为主，但结果却令人只重字而不重文。

② 书工：书法优美。

③ 骈散：指碑中之文或为骈，或为散。

④ 叶鞠裳：名昌炽，清末人。

⑤ 乐石：原指可制乐器的石料，后泛指碑石或碑碣。

⑥ 独辟鸿蒙：独创事业之始。鸿蒙：指宇宙形成前的混沌状态。

⑦ 孙退谷：孙承泽，明末清初人，因住西山退谷而自号。 翁覃溪：翁方纲。翁与孙皆著有专讲金石的书。

⑧ 补天之石：用女娲炼石补天之典，此处指上好的石头。

⑨ 毛锥：用毛笔写上，再用刀刻上。

⑩ 旁资：借助于。 丹墨：用红笔书写（即书丹），用黑墨拓碑。

⑪ 燕许：许国公苏颋，燕国公张说。

⑫ 毡蜡：皆为刻碑、拓碑的工具用料，此处指拓碑。

⑬ 八法：指永字八法。此处指字。楦（xuàn）：制鞋时填实鞋的木架。八法之楦：泛指字模。

⑭ 濡丹：将朱砂研成末，写在偏黑的石上以求醒目。

⑮ 文托书传：文章凭借书法来传播。

⑯ “岂谀墓”二句：意谓这岂不是专写谀墓文章的人自己所致吗？ 谀墓：专事吹捧的墓志、墓碑，这类文章往往言过其实，故称“过情”。

清叶昌炽《语石》书影

集書辛苦倍書丹內學何如外學寬多智懷仁尋護法半求王字半求官

四二

集书辛苦倍书丹，内学何如外学宽。
多智怀仁寻护法[1]，半求王字半求官[2]。

怀仁集王羲之书圣教序[3]。

唐太宗好王羲之书，一时风靡。其自书晋祠、温泉二碑[4]，即用羲之行押之体[5]，行书入碑，盖自兹始。僧怀仁刻圣教序，逐字集摹王书以成，正可谓双重护法[6]。

古代碑上文，大都列三人衔名，曰篆额，以篆书题额也；曰撰文，撰作碑文也；曰书丹，以朱色书其文于石上，以其笔迹鲜明，易于刊刻也。而集字则不然，必先以蜡纸摹得真迹上字，再以细线勾勒每一点画之背[7]，轧附于石上，然后奏刀，逐线刻之。古碑后或著石工姓名，然皆只称刻石或称镌字而已。惟此碑后有勒石者，有刻字者。盖勒石者，谓勾字附于石上也；刻字者，谓以刀刻石成字也。昔传集字二十年始成，以其工度之，殆非过夸。

佛家以佛书为内典，其学曰内学；教外典籍为外典，其学为外学。书艺于佛家，亦属外学。

怀仁集字，千古绝技，而集字书经咒，颇有误字，知其外学精于内学也。

[注释]

① 怀仁：唐代弘福寺僧人。 护法：鉴于历次毁佛之事，古代僧人将佛经刻于石碑，以求佛法得以保存流布，古称“护法”。

② 半求官：一半要寻求皇帝（此处指唐太宗的《圣教序》文）的帮助。古人习惯称皇帝为“官家”。

③ 圣教序：唐碑名，全称《大唐三藏圣教序》。唐玄奘法师至印度取经回，贞观二十二年太宗作此序表彰其事；时高宗为太子，又作《述三藏圣教序记》。至高宗朝，多处将序、记刻石立碑。咸亨三年（672）弘福寺僧怀仁集晋王羲之字迹，在西安学宫立《集王圣教序》碑。

④ 晋祠、温泉二铭：见第八首。

⑤ 行押：即行书。

⑥ 双重护法：即诗中所云“半求王字半求官”。

⑦ “必先”二句：意谓先用蜡纸覆其所摹字之上，勾出轮廓，再把蜡纸翻过来，用朱笔描重，压在石上（勒石），显出痕迹，再奏刀刻碑。

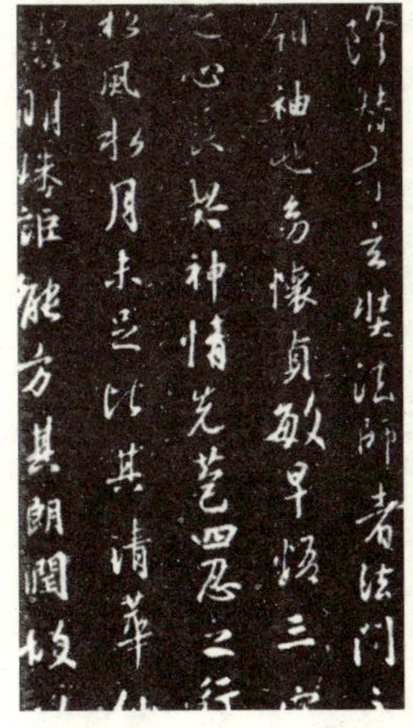

唐怀仁集王羲之书圣教序

四三

集王大雅亦名家[①]，半截碑文语太夸[②]。
写得阉妻颜色好，圆姿替月脸呈花。

大雅集王羲之书兴福寺碑残石，功德主为宦官某氏。碑记其妻云：“圆姿替月，润脸呈花。”

按此碑残存下半段，故俗呼为半截碑，世之残碑仅存半截者多矣，而此碑独以半截著称，亦可见其于群碑之中，位望特尊，有如赞拜不名焉[③]。其功德主名“文”，姓氏适在碑之上半，已无可考。碑文撰者名字缺失，集字人大雅亦失其姓。

碑文有云：“惟大将军矣，公讳文”，世或误观“矣”字为“吴”字，读成“吴公讳文”，遂有呼为吴文碑者。又因有雷轰荐福碑故事，竟误以此碑当之，谓其残断，即由雷轰，乃有径题曰荐福碑者[④]。误传之语，此碑独多，当由集摹王书宝之者众耳[⑤]。然其摹集，拼凑益多。更少顿挫淋漓之胜，远不如怀仁圣教也。

六朝唐人碑志中，每多隽语。此碑圆姿二

集王大雅亦名家半截碑文语太夸写
得阉妻颜色好圆姿替月脸呈花

语，读之更欲令人绝倒。不知作者为有心嘲弄，抑为随俗称扬，以唐人于闺阃姿容，并不以赞为渎也。

[注释]

① 大雅：集字者之名，但姓氏不详。

② 语太夸：指谀赞过甚，因为碑主（功德主）既为宦官，但竟称其妻如何有姿容，未免荒唐。

③ 赞拜不名：臣子朝拜帝王时，赞礼的人不直呼其姓名，只称官职。这是帝王给予大臣的一种特殊礼遇。与此同时，还常可以“入朝不趋，剑履上殿”。

④ “又因”五句：此碑为兴福寺碑，只因残缺一半，有人便认为它是因雷劈所至，于是便将它与真为雷劈的荐福寺碑混为一谈。荐福寺碑为雷所劈之事有这样的传说：据说某人很穷，别人告诉他荐福寺中有一碑，可拓卖，但此碑不久即遭雷劈，所以人叹之曰：“时来风送滕王阁，运去雷轰荐福碑。”

⑤ “当由”句：意谓珍藏它的人越多，传说也就越多。

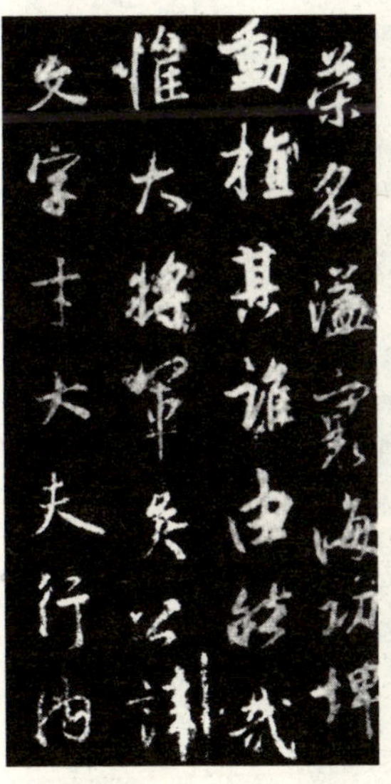

唐大雅集王羲之书兴福寺碑

草字書碑欲擅場羽衣木鶴共徜徉缑山夜月空如水不見蓮花似六郎

四四

草字书碑欲擅场，羽衣木鹤共徜徉。

缑山夜月空如水[1]，不见莲花似六郎[2]。

升仙太子碑[3]。

碑称武则天撰文并书，字作草体，亦不必究诘其是否代笔也。草字入碑，前此未有，以碑文所以昭示于人，草书人不易识，乃失碑文之作用，然于此碑，俱非所论也[4]。

则天媚其面首张昌宗，无所不至。昌宗既号为王子晋后身[5]，乃著羽衣，骑木鹤，舞于殿庭，以娱鸡皮老妪[6]。此妪亦为之树丰碑，立巨碣，大书而深刻之。此际王之与张。追魂夺舍，颠倒衣裳[7]，几可谓集丑秽之大成矣。然而事犹未了也。

缑山有古墓，世传为王子晋瘗蜕之所[8]。则天命发之，棺椁全空，惟余一剑，埋幽无志[9]，取证莫从。于是腾笑余波[10]，难于收拾。乃为重瘗起坟[11]，树碑记事，命薛稷书之[12]。以不知名氏，但题曰“窅冥君铭”。汇帖有节摹其铭文者，全碑拓本，不知尚有流传者否？

掩骼埋胔[13]，古称善举。不然，宝其铜剑，精考细拓，锢藏深锁，奇货以居。而残骼余胔，信手抛掷，转不如龟背牛胛，犹获椟盛。则窅冥君者，亦多幸矣。

[注释]

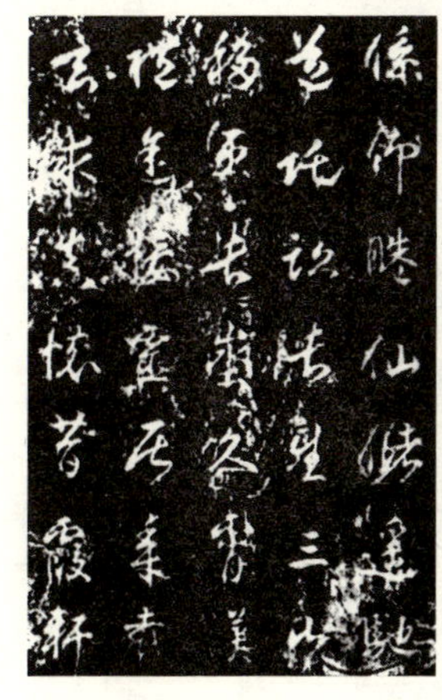

武则天书升仙太子碑

① 缑（gōu）山：即缑氏山，在河南省偃师县。相传王子乔于此处乘鹤成仙。

② 六郎：张昌宗。与其兄易之俱得幸于武则天，美姿容，晓音技，宫中称为六郎。杨再思每曰："人言六郎似莲花，非也，正谓莲花似六郎耳。"

③ 升仙太子碑：武则天为张昌宗所立之碑，因张昌宗自谓为仙人王子乔后身，故称。

④ 俱非所论也：都不是需要论述的。

⑤ 王子晋：即王子乔。刘向《列仙传·王子乔》："王子乔者，周灵王太子晋也。好吹笙，作凤凰鸣。游伊洛之间，道士浮丘公接以上嵩高山。三十余年后，求之于山上，见桓良曰：'告我家：七月七日待我于缑氏山巅。'至时，果乘白鹤驻山头，望之不得到，举手谢时人，数日而去。"

⑥ 鸡皮老妪：指武则天。

⑦ 颠倒衣裳：语出《诗经·齐风·东方未明》："东方未明，颠倒衣裳。颠之倒之，自公召之。"本谓急促惶遽中不暇整衣，后多转喻伦常失秩。

⑧ 瘗蜕：埋尸体。

⑨ 无志：没有墓志。

⑩ 腾笑余波：贻笑大方，广为流传。

⑪ 重瘗：重新埋葬。

⑫ 薛稷：武则天时书法家。

⑬ 掩骼埋胔（zì）：掩埋尸体。骼：骨。 胔：腐肉。

書譜流傳真迹在參差摹刻百疑生鍼
膏起廢吾何有曾撥浮雲見月明

四五

书谱流传真迹在，参差摹刻百疑生。
针膏起废吾何有[1]，曾拨浮云见月明[2]。

孙过庭《书谱》墨迹本[3]，前人或疑其未真，余曾撰文考之。

昔人少见法书墨迹，又习于板刊阁帖，石刻碑文。观其点画全白，笔无浓淡，遂有毫锋饱满、中画坚实等种种揣测。《书谱》又但传明人翻刻太清楼本[4]，毫颖全秃[5]，字字柴立。积非成是，遂成吴郡书风之标准[6]。及墨迹复出，笔踪墨渖，轻重可见，而群疑蜂起，莫衷一是矣。

疑者以为宋元人临者有之，以为明清人自停云馆帖摹出者有之[7]，其故无他，点画不与枣板上草书相似耳[8]。最可异者，真本太清楼刻残帙出，观者固信其真矣[9]，字字校之，与墨迹悉符，而疑墨迹者依然如故焉。余初犹诧疑者校对之疏，继悟点画中之浓淡，刻本无而墨迹有，故疑者终不释然耳。呜呼！脏腑洞察，已属常科，而枣石膏肓[10]，犹同玉律[11]，积习成痼，可不畏哉！

[注释]

① 针膏起废：即公羊学者所说的针膏肓，起废疾，发墨守，谓从根本上加以治疗，使其得到根本的改变。 废：废疾、残废。

② “曾拔”句：意谓对《书谱》作过考证，批驳了一些错误之见，恢复其本来面目。

③ 《书谱》墨迹本：今在台湾。

④ 太清楼本：宋人刻本，现只剩残本，存于北京故宫博物院。

⑤ “毫颖”二句：指明翻刻本字迹死板。

⑥ 吴郡：《书谱》自谓“吴郡孙过庭撰”。吴郡，今江苏一带。

⑦ 停云馆帖：文徵明所刻，半用墨迹，半用翻刻。

⑧ 点画：指墨迹本的点画。 枣板：枣木板所刻。淳化阁帖用枣木刻成。

⑨ 信其真：相信其真为宋刻本。

⑩ 枣石膏肓：指只信刻本，且坚信不疑，深入膏肓。

⑪ 玉律：金科玉律，不可改变。

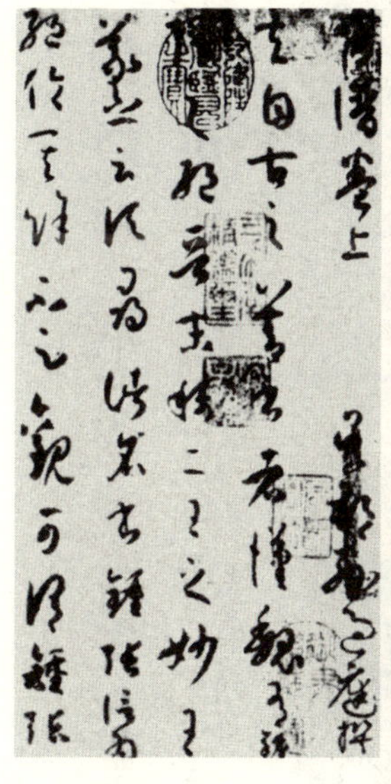

孙过庭书谱墨迹

青瑣蟬娟褚遂良毫端猶帶綺羅香可憐鼓努三龕記乍綰雙鬟學霸王

四六

青琐蝉娟褚遂良[1]，毫端犹带绮罗香。
可怜鼓努三龛记[2]，乍绾双鬟学霸王[3]。

伊阙佛龛碑。

褚河南书[4]，世称为青琐蝉娟，不胜罗绮[5]。观于雁塔圣教序[6]，正符所喻，亦褚书之本来面目也。至于女道士孟法师碑[7]，则有意求其严整，未免有矜持之态。惟字不盈寸，引弦尚不难于中彀[8]。至伊阙佛龛碑，则不然矣。

昔日丰碑，贵在大书深刻，结字欲其充实，行毫欲其饱满，所谓擘窠书者[9]，正贵其填足方格也。盖行押书挑剔撩拨[10]，便于简札，唐代之前不以入碑。晋祠、温泉[11]，帝王之笔，作古自我，莫之敢议也。不宁是也[12]，楷正之真书，于书碑者尤或嫌其未古，必掺以隶意，始觉庄严。如北齐诸刻，文殊般若碑，泰山金刚经，呼为隶则似真，呼为真又似隶。胥直此之由也[13]。

河南书趣，本不适于方整，而此碑独架构求其方，笔势求其挺，于是鼎折膑绝[14]，两败俱伤，则误追隶意，舍长就短之故耳。

[**注释**]

① 青琐蝉娟：指住在华美窗内的美女。蝉：通婵。此处指褚字之美。青琐：装饰皇宫门窗的青色连环花纹，亦泛指宫殿、豪华富丽的建筑及窗户装饰。

② 鼓努：憋足气力。　三龛：本想在伊水出山口处开三座佛龛，后只开了一龛，称伊阙佛龛。

③ “乍绾”句：谓放弃本来的柔媚而学强劲。

④ 褚河南：褚遂良封河南郡公，故称。下文以“河南”代称褚遂良。

⑤ 不胜罗绮：形容体姿柔弱，连罗绮衣都无法承受。

⑥ 雁塔圣教序：西安大雁塔旁有两通碑，一为唐太宗作文的《三藏圣教序》，一为唐高宗作文的《述三藏圣教序记》。参见第四二首。

⑦ 孟法师碑：为姓孟的女道士所树之碑，字较小。

⑧ “引弦”句：意谓由于字小，下笔比较准，所以不失其本来面貌。

⑨ 擘窠书：填满方格的大字。

⑩ 挑剔撩拨：形容用笔灵活自如。

⑪ 晋祠、温泉：指唐太宗的晋祠碑、温泉铭。参见第八首。

⑫ 不宁是也：不但这样。

⑬ 胥：皆、都。

⑭ 鼎折膑绝：《史记 · 秦本纪》：“武王有力好戏，力士任鄙、乌获、孟说皆至大官。王与孟说举鼎，绝膑（折断膑骨）。”此处喻强努气力，导致伤害。

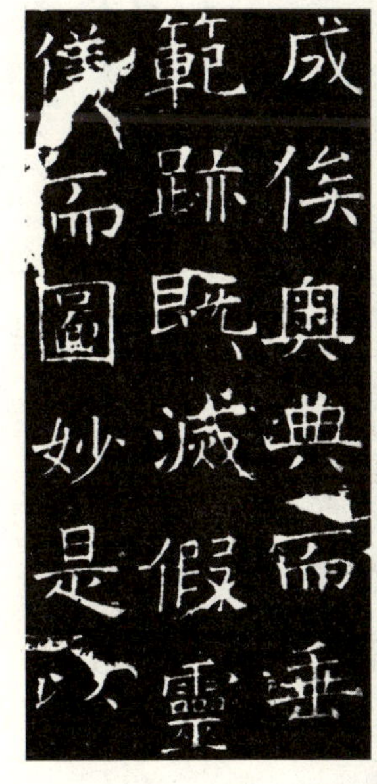

褚遂良书伊阙佛龛记

翰林供奉撥燈手素帛黃麻次第開千
載鶺鴒留勝迹有姿無媚見新裁

四七

翰林供奉拨灯手[1]，素帛黄麻次第开[2]。

千载鹡鸰留胜迹，有姿无媚见新裁[3]。

鹡鸰颂。

此颂因为唐明皇御撰，后有敕字[4]，遂号为御书。然明皇书有裴耀卿奏记批答及石台孝经批字[5]，笔势与此并不尽合，因启后人之疑。疑者有二类，其一疑为米临，此已不足多辨[6]。其一谓为硬黄摹本[7]，其说谓米元章记其所见者为绢素本[8]，米氏鉴定，不能有讹，此非绢本，必属不真。且硬黄摹书，已成常谈，此本既为硬黄，苟非摹书，又将何属？余昔年曾见原迹[9]，墨痕轻重，迥异钩填，然则此桩公案，究竟如何剖决？

一日阅宋代诏敕、告身[10]，皆出御书院、制诰案书手所写者[11]。文属王言，后有敕字，然无一本出宋帝亲笔。又见乾嘉时南斋翰林奉敕以精笺录御制诗文[12]，或高头巨卷，制逾寻常[13]；或寸余小册，仅盈掌握。而同一诗文，累见复本。盖词臣精写，以代印刷，清代尚尔，遑论李唐。米氏所见绢本与此纸本，可谓同真同伪。同真者，同出开元翰林供奉也；同伪者，

同非明皇手书也。至于硬黄必用以摹书之说，

则痴人前不必说梦矣[14]。

[注释]

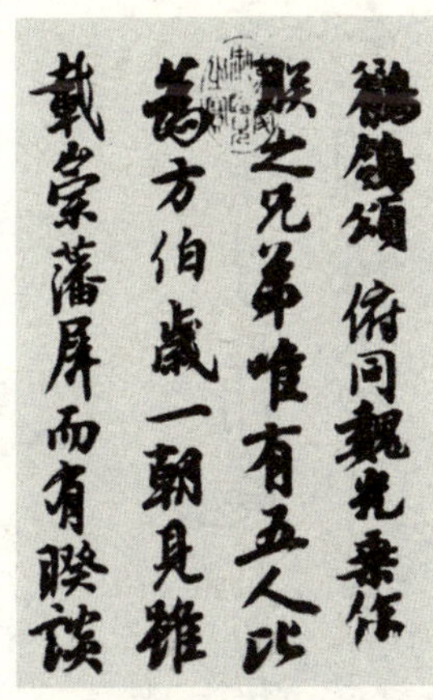

传唐明皇鹡鸰颂

① 翰林供奉：为皇帝起草诏令的词臣。拨灯手：书法高手。拨灯时要提肘，写字时要悬腕，故以拨灯喻书写。

② 素帛：素绢，指文中所说绢素本。 黄麻：黄麻纸，指文中所说的硬黄本。次第开：依次展开。这里形容词臣纷纷为唐明皇书写。

③ 有姿无媚：漂亮但不侧媚。新裁：新风格。

④ 敕：本指自上告下之词，南北朝以后特指皇帝的诏书。

⑤ 石台孝经：在西安碑林，碑呈石台方柱形，上刻孝经，后有明皇批语。

⑥ 不足多辨：因其风格相差较远。

⑦ 硬黄：麻纸染上黄檗，再烫上蜡，以求透明光滑。

⑧ 谓米元章记其所见：米元章有《书史》、《宝章待访录》，谈及所见《鹡鸰颂》为绢素本（即诗中所说“素帛”）。

⑨ 原迹：指所谓“硬黄摹本”，其实为真迹。

⑩ 告身：古代授官的文凭，类似现在的委任状。

⑪ 御书院、制诰案：宋代书写制诰的官署。 制诰：皇帝的诏令。

⑫ 南斋：清宫南书房，本为康熙帝读书处，后一度成为发布政令的地方。雍正间军机处成立后南书房即专司文词书画之事。

⑬ 制逾：规格超过。

⑭ “至于”二句：硬黄本指油纸本，可用于钩摹，也可用于自写，所以谓硬黄必为摹本无异于痴人说梦。

跌宕為奇筆仗精飈如電發靜淵渟学
来俗死何須怪當日書碑太遑能

四八

跌宕为奇笔仗精，飙如电发静渊渟[①]。

学来俗死何须怪[②]，当日书碑太遑能[③]。

李邕[④]。相传有自论其书之语云，似我者俗，学我者死。

行押书碑，自晋祠铭始[⑤]。李靖诸碑继之[⑥]，而纤弱不能跨皂[⑦]。怀仁集王右军书，只是巧艺之工，无关书碑之事。李泰和出，行书书碑，始称登峰造极。盖碑版铭石，书贵庄重，而行押佻举[⑧]，两不相侔。李书则以蝉联映带之笔[⑨]，作泉注山安之势[⑩]。欹侧之中，具方严之度。书丹之道，至此顿开天地。

李氏书碑，云麾二李之外[⑪]，麓山最为煊赫[⑫]。石室、灵岩[⑬]，刻手不精，东林、追魂[⑭]，只传翻刻而已。刻手最精者，推李思训碑，其起止截搭[⑮]，作用亦最明显，一若其体之固然者。然吾得麓山碑阴，排列出赀人名[⑯]，字不盈寸，明人以大字题名覆其上，拓者遂少。其字既小，又属例列衔名，不如碑面之精意，其跌宕之姿，竟无所施展。乃知其百态纷呈，未免出于有意耳。

[**注释**]

① 渊渟：本指潭水积聚不流貌，引申为深静之意。

② 俗死：即文中所引“似我者俗，学我者死”。

③ 太逞能：过分卖弄，即文中所说“未免出于有意耳”。

④ 李邕：唐代著名学者、书法家，字泰和，作过北海郡守，世称李北海。

⑤ 晋祠铭：唐太宗所书。参见第八首。

⑥ 李靖碑：唐高宗所书。

⑦ 跨皂：本指良马奔跑时后蹄印跃过前蹄印，后用来比喻儿辈超过父辈。高宗为太宗之子，故云。皂，亦作“灶”。

⑧ 行押：行书。 佻举：禅家语，谓坐禅时仍想入非非，不能入定。

⑨ 蝉联映带：《颜氏家训》云右军（王羲之）为“蝉联美胄，潇散名贤”。

⑩ 泉注山安：孙过庭《书谱》语。

⑪ 云麾二李：指《李思训碑》和《李秀碑》，二人同封为云麾将军。

⑫ 麓山：《麓山寺碑》。麓山：指湖南岳麓山。

⑬ 石室：位于肇庆的《端州石室记碑》。 灵岩：山东长清县《灵岩寺碑》。

⑭ 东林：《东林寺碑》。 追魂：碑名，碑主姓叶。

⑮ 起止截搭：笔画的起止和配合。

⑯ 赀：通“资”。

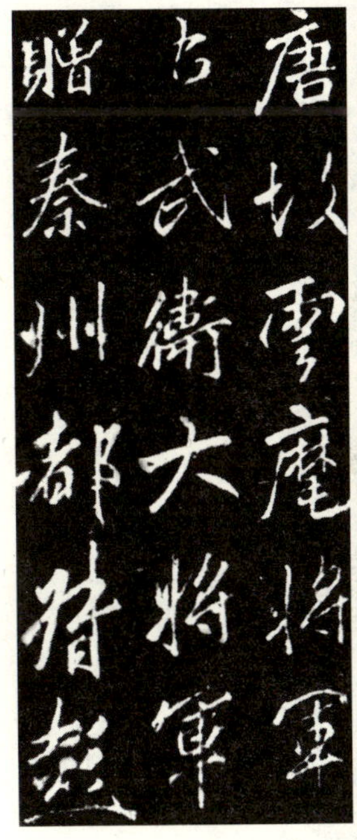

李邕书李思训碑

真跡顏公此最奇海隅同慰見心期請看造極登峰處紙上神行手不知

四九

真迹颜公此最奇，海隅同慰见心期[①]。

请看造极登峰处，纸上神行手不知。

颜真卿瀛州帖，有“足慰海隅之心”之句。

鲁公书，非独为有唐八法之宗[②]，亦古今书苑不祧之祖[③]。其铭石之作，上下千年，纵横万里，莫不衣钵相沿，千潭月印[④]，已无待末学小子之喋喋也[⑤]。而宋人独尊其行押，如苏东坡、米溪堂[⑥]，至以杨凝式配享[⑦]，号为颜杨。盖墨迹流传，宋时尚夥[⑧]。观夫忠义堂帖宋拓真本中[⑨]，简札翩翻，足以洞心骇目。岁序迁流，累经尘劫，宋人所见，今殆百不一存焉。

今世传墨迹，可列上驷者，只见四事：楷书大字首推告身[⑩]。然名家书告，唐代虽一时偶有其事，并非每告必出名家。且自书己告，实事理之难通者。湖州帖全属宋人笔习，其非唐迹，已不待言。惟祭侄、瀛州二卷，则赤日经天，有目共见。瀛州一帖，尤为欣快时所书。昔人以宋拓圣教序谥为墨皇，正当移标此迹也。

东坡论笔之佳者，谓当使书者不觉有笔，可谓妙喻。吾申之曰，作书兴到时，直不觉手之运管，何论指臂？然后钗股漏痕[11]，随机涌现矣。

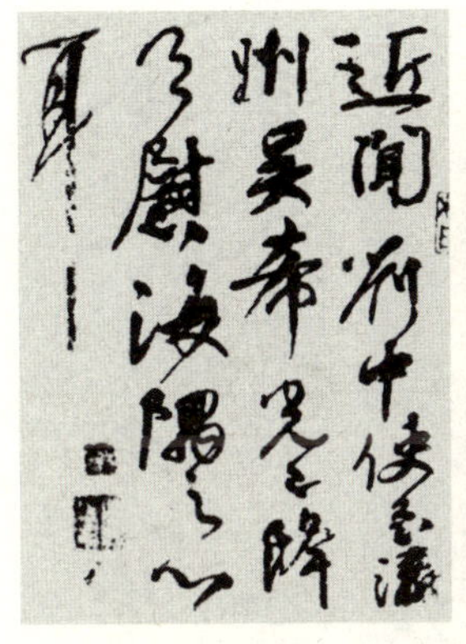

唐颜真卿瀛州帖

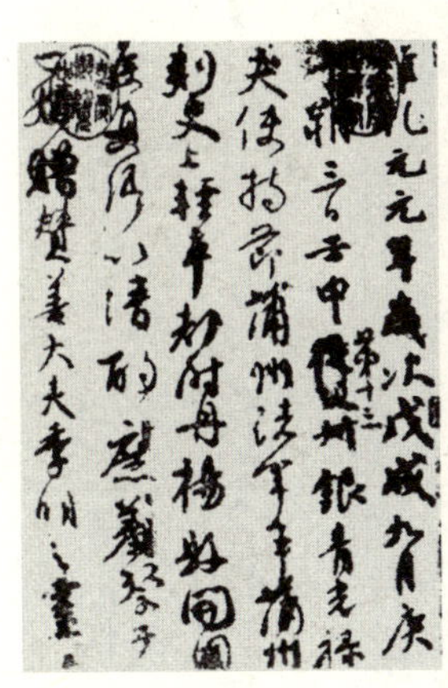

祭侄文稿

［注释］

① 海隅同慰：指帖中所说的“足慰海隅之心”一语。盖此帖为闻安史之乱平后所写，故有此语。 见心期：见出颜真卿关切国事的胸襟。

② 八法之宗：书法之祖。

③ 不祧之祖：创始之祖，不可替代之祖。参见第二一首注①。

④ 千潭月印：成为所有人共仰的楷模。语出《永嘉证道歌》：“一性圆通一切性，一法遍含一切法。一月普现一切水，一切水月一月摄。”

⑤ 末学小子：作者自谦。

⑥ 米溪堂：米元章。

⑦ 杨凝式：五代书法家，善行草。配享：合祭，附祀。

⑧ 夥：多。

⑨ 忠义堂帖：宋刻本，清人有翻刻本。

⑩ 告身：参见第四七首注⑩。

⑪ 钗股漏痕：形容笔墨的自然天成。

敏捷才華號立成杜家兄弟遠聞名正
藏文軌傳東國多仗中臺筆墨精

五十

敏捷才华号立成，杜家兄弟远闻名[1]。

正藏文轨传东国，多仗中台笔墨精。

日本天平皇后藤原氏行书《杜家立成杂书要略》一卷，皆拟尺牍之文[2]，乃隋人杜正藏所撰，见《隋书·文学传》。

后氏藤原，名光明子，圣武帝之后。圣武殂后，后曾建紫徽中台，辟官属。中台者，殆犹中土宋代皇后之称中殿耳。

此卷五色笺上所写，行书古厚深美，流漓顿挫，允推上品。日本列之于国宝，宜也。近世为中国所知，始于杨惺吾之《留真谱》[3]，顾仅摹刻数行[4]。又于所跋宋拓索靖月仪帖言及之[5]，谓是唐人之作。日本内藤湖南复遍考隋唐史籍中经籍、艺文诸志[6]，广事比较古代模拟尺牍之文，见所著《研几小录》。然犹未得作者主名，盖未检《文学传》耳。

《文学传》称其父子兄弟俱以文采世其家，故号杜家。遇题赋物，援笔即就，故号立成。正藏曾撰《文轨》，传于新罗、百济。此殆《文轨》中之书简一卷，自新罗以入日本者。如有继严铁桥补辑全隋文者⑦，亟当录入。

[**注释**]

① 杜家兄弟：杜正藏其兄名正玄，性聪敏，博涉多通，文章常援笔立成，时人叹为真秀才。正藏亦好学，善属文，著有《文章体式》，时人号为《文轨》，远播新罗、百济，又传入日本。

② 皆拟尺牍之文：谓《杂书要略》一书皆模仿尺牍的格式。

③ 杨惺吾：即杨守敬，光绪年间曾任驻日本外交官。

④ 顾：但。

⑤ 索靖月仪帖：参见第卅五首注⑦。

⑥ 内藤湖南：即内藤虎次郎。

⑦ 严铁桥：严可均，著有《全上古三代秦汉三国六朝文》。

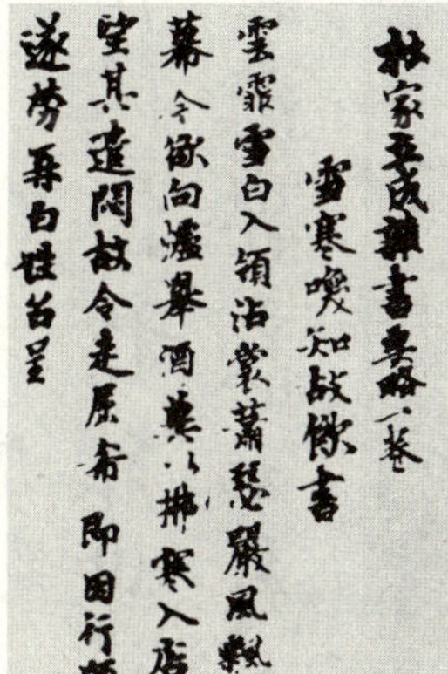
杜家立成雜書要略一卷
雪寒喚知故飲書
雲霰雪白入領沾裳蕭瑟嚴風
幕今欲向爐舉酒以拂寒入店
望其遠悶故令走屈希 即因行以
遂勞弄白

日本光明后书《杜家立成杂书要略》

東瀛楷法儘精能世説詞林本行經小
卷藤家臨樂毅兩行題尾署天平

五一

东瀛楷法尽精能[①]，世说词林本行经[②]。
小卷藤家临乐毅[③]，两行题尾署天平[④]。

东瀛所传古写本，多出唐时日本书手所录。如《世说新书》残卷、《文馆词林》若干卷，《佛本行集经》虽后有隋代尾款，实出迻录者[⑤]，皆笔法妍丽，结体精美，即在中土，亦属国工。或以为即唐土名手所书，恐未尽然也。试观《东大寺献物账》，及藤原后所造诸经，固出天平书手之彰明较著者，其与《世说》等迹，并无二致。盖当时楷手高品，犹恪守唐格，和样之书[⑥]，尚未形成也。

乐毅论为右军真迹，南朝至唐，屡经鉴家道及[⑦]。而宋后所传，但有石刻。枣石上辨小楷，如蚊睫操刀[⑧]，只成谐喻[⑨]，而断断辨"海"字之有无[⑩]，未免深堪悯笑矣。至明吴廷得旧摹本，刻入馀清斋帖，微见行笔顿挫之意，又启石墨家之聚讼。

藤原后临本既出，无论其于右军真迹，相距何如，但观其结字，固足与石刻相印证，而纵横挥洒，体势备见雄强。右军已远，典型犹在，岂余一人之私言耶！

[**注释**]

① 东瀛：日本。

② 世说：即文中所说的《世说新书》，又名《世说新语》。 词林：即文中所说的《文馆词林》。 本行经：即文中所说的《佛本行集经》。

③ 乐毅：即《乐毅论》。

④ 署天平：卷后标有“天平十六年十月三日藤三娘”字样。 天平十六年：公元744年。

⑤ 迻录：抄录、誊录。

⑥ 和样：日本风格。

⑦ 屡经鉴家道及：如《法书要录》载萧衍问陶宏景法书事即提及《乐毅论》。

⑧ 如蚊睫操刀：有如在蚊子的眼睫上雕刻。

⑨ 谐喻：笑谈。

⑩ 龂龂（yín yín）：争辩状。 辨“海”字之有无：“海”字恰在石残处，有的拓本上印出“海”字，称“海”字本，有的则没有，于是有人称“海”字本才为真本。

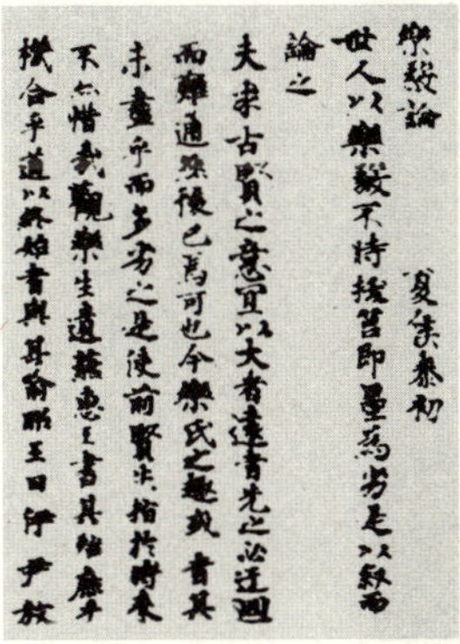
樂毅論 夏侯泰初
世人以樂毅不時拔莒即墨為劣是以敘而
論之
夫求古賢之意宜以大者遠者先之必迂迴
而難通然後已焉可也今樂氏之趣或者其
未盡乎而多劣之是使前賢失指於將來
不亦惜哉觀樂生遺燕惠王書其殆庶乎
機合乎道以終始者與其喻昭王曰伊尹放

日本光明后临乐毅论

五二

羲献深醇旭素狂[1]，流传遗法入扶桑[2]。

不徒古墨珍三笔[3]，小野藤原并擅场[4]。

羲獻深醇旭素狂流傳遺法入扶桑不
徒古墨珍三筆小野藤原並擅場

日本嵯峨帝、橘逸势、释空海书，号为三笔。藤原佐理、藤原行成、小野道风，号为三迹。日本书道，实传东晋六朝以来真谛，盖自墨迹熏习，不染刀痕蜡渍也[5]。

嵯峨帝书以李峤诗为最胜，颇似欧阳信本[6]。橘氏书愿文[7]，跌宕纵横，未见其匹。弘法大师书[8]，传流较多，诸体并长，必以风信帖为最胜。此皆真行之典范，与中土中唐以来名家，固兄弟行也。

稍后佐理、行成，草书最妙，笔端风雨，不减颠素[9]。昔王梦楼题日本书有“但觉体类芝与颠”之句[10]，可谓先得我心。

道风书有屏风稿，点画圆融，有右军快雪时晴帖遗意。又传临右军草书诸帖，远胜枣板规模。惟此临王诸帖又传为行成之笔，疑莫能明耳。

日本嵯峨帝书李峤诗

橘逸势书愿文

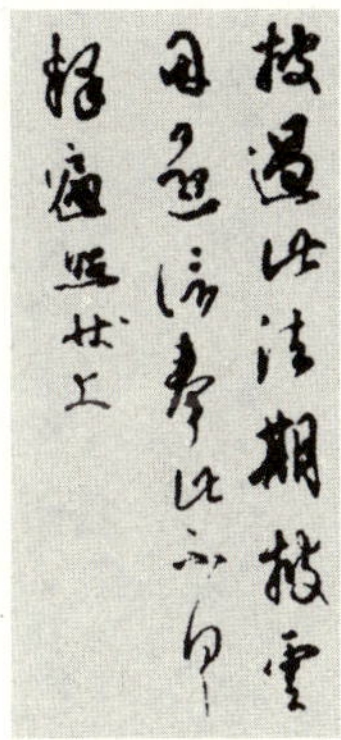

僧空海书风信帖

[注释]

① 羲献：王羲之、王献之。 旭素：张旭、怀素，皆以狂草见称。

② 扶桑：日本。

③ 三笔：即文中所说的嵯峨帝、橘逸势、释空海。

④ 小野：即文中所说小野道风。 藤原：即文中所说的藤原佐理、藤原行成二人。

⑤ “盖自”二句：意谓他们主要是学习手写之墨迹，而不借助于枣石刻板。

⑥ 欧阳信本：欧阳询，字信本。

⑦ 书愿文：书写的发愿文。 发愿：佛教语，谓普度众生的广大愿心。后亦泛指许下愿心。

⑧ 弘法大师：即空海。

⑨ 颠素：即张旭与怀素。张旭，人称“张颠”。

⑩ 王梦楼：王文治，清代书法家。 芝：张芝，汉代书法家。

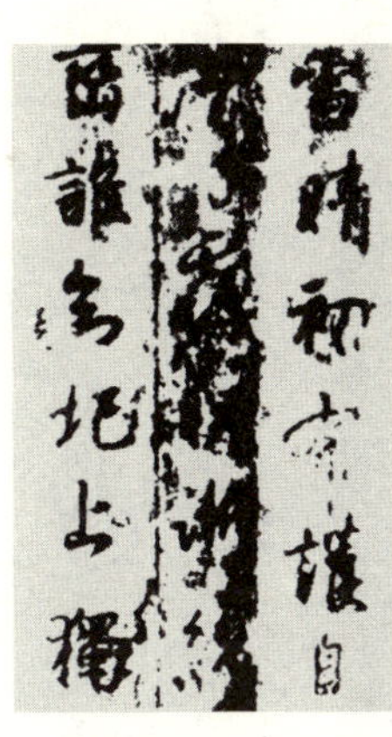

小野道风书屏风稿

筍茗俱佳可逕來明珠十四邁瓊瑰精
純雖勝牛腰卷終惜裁縑吝襪材

五三

笋茗俱佳可径来[①]，明珠十四迈琼瑰[②]。

精纯虽胜牛腰卷[③]，终惜裁缣吝袜材[④]。

怀素苦笋帖，绢本真迹。其文云：“苦笋及茗，异常佳，乃可径来。怀素白。”

怀素草书传世墨迹，今日得见者，只有四事：一、自叙帖长卷；二、小草书千字文；三、食鱼帖；四、苦笋帖。请分别论之：

怀素自叙长卷，摹本最多。北宋时苏舜钦得一本，前缺一纸共六行，苏氏自为补全。其本是真是摹，并不可知。传至清代，只存石渠宝笈所藏一卷，粗如牛腰，即今日流行影印之底本。四十年前，曾屡获目睹，再以摄影本印证之[⑤]，自首至邵周、王绍颜跋，皆出钩摹。此后杜衍以下诸跋，始为真笔，并无苏舜钦自跋。知非苏氏之卷[⑥]。无论其为何人钩摹，精细圆转，实为钩魂摄魄之工焉。绢本小草千文卷，笔意略形颓懒，盖晚年之迹也。食鱼帖近时重现，亦属精摹之本。以精美跌宕求之，苦笋当推第一。惟卷中诸古印，俱出妄人伪钤，且戋戋两行，真有惜墨如金之感。真美精多，兼备何易。劫火不及，巍然留于沪上博物馆中，亦足慰矣！

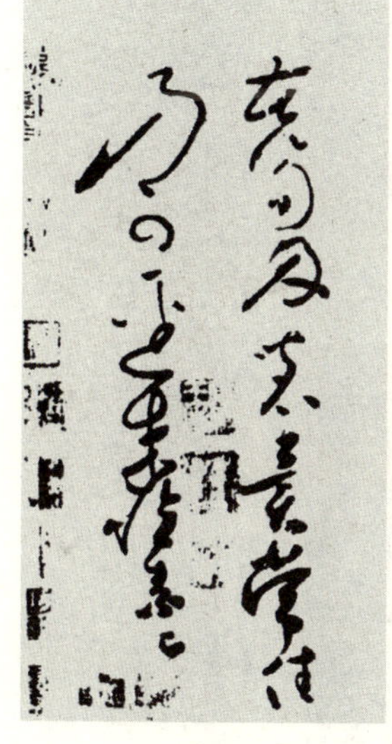

怀素苦笋帖

[注释]

① “笋茗”句：即对帖中原文的概括，见文中所引。

② 明珠十四：十四个字，个个如明珠。 迈琼瑰：超过珍宝。

③ 牛腰卷：大卷子，卷起来很粗，指大卷的《自叙帖》。

④ “终惜”句：意谓终显得过于吝啬，好像不舍得用缣裁成袜子一样，令人遗憾。语出苏轼《文与可画筼筜谷偃竹记》：“与可画竹，初不自贵重。四方之人持缣素而请者，足相蹑于其门。与可厌之，投诸地而骂曰：‘吾将以为袜！’士大夫传之，以为口实。”

⑤ 摄影本：拍照本。此底本现在台湾，为摹本墨迹。

⑥ “自首”数句：指《石渠宝笈》所藏一卷。

勁媚虛從筆正論更將心正哄愚人書
碑試問心何在諛閣諛僧頌禁軍

五四

劲媚虚从笔正论[1]，更将心正哄愚人。
书碑试问心何在，谀阉谀僧颂禁军[2]。

柳公权书神策军碑、玄秘塔碑。

柳书碑版，传世甚多。今所存者，必以神策军、玄秘塔二碑为最精。玄秘刻手，犹偶有刀痕可见，惟神策孤拓，无异墨迹焉。

柳书，史称其体势劲媚，此言最为确论。至于史传载其对穆宗有心正笔正一语[3]，实出一时权辞[4]，而后世哄传，一似但能心正，必自能书，岂不傎乎[5]？忠烈之士，如信国文公[6]；禅定之僧，如六祖惠能，其心不可谓不正矣。而六祖不识文字，信国何如右军，此心正未必工书之明证也。且神策军操之宦官，腥闻彰于史册[7]，玄秘塔主僧端甫，辟佞比于权奸[8]，柳氏一一为之书石。当其下笔时，心在肺腑之间耶[9]？抑在肘腋之后耶[10]？而其书固劲媚丰腴，长垂艺苑。是笔下之美恶，与心中之邪正，初无干涉，昭昭然明矣。

余为此辨，非谓心正者其书必不善，更非谓书善者其心必不正。心正而书善者世固多有，而心不正书更不善者，又岂胜偻指也哉[11]！

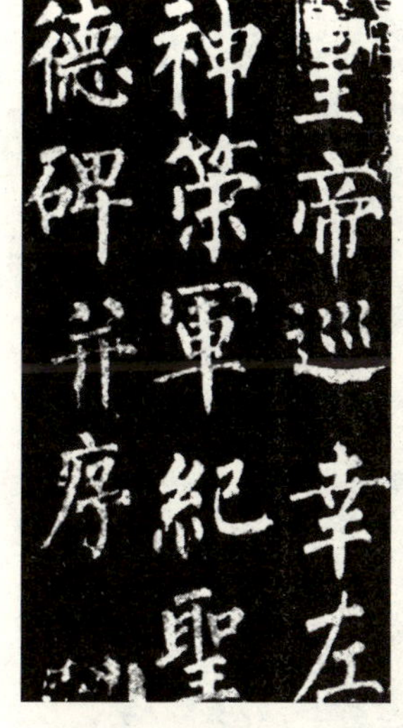

柳公权书神策军碑

玄秘塔碑

[注释]

① 虚：虚妄不实。

② 谀阉：指神策军碑，因神策军操之于宦官。阉：宦官。 谀僧：指《玄秘塔碑》，因碑主端甫为僧人，且为辟佞之人。 禁军：即神策军，专司护卫皇宫之职。

③ “心正笔正”一语：见《新唐书·柳公权传》：“帝问公权用笔法，对曰：‘心正则笔正，笔正乃可法矣。’时帝荒纵，故公权及之，帝改容，悟其笔谏也。”

④ 权辞：权宜之词，即借机笔谏也。

⑤ 傎（diān）：荒唐。

⑥ 信国文公：文天祥，封信国公。

⑦ 腥闻：谓其杀人之多。

⑧ 辟佞：奸邪。如宪宗将凤翔假佛骨迎入宫中即出端甫之建议。

⑨ 心在肺腑之间：谓心正。

⑩ 在肘腋之后：谓心不正。

⑪ 偻指：屈指。

诗思低回根肺腑墨痕狼藉化飞腾满
襟泪溅黄麻纸薄倖谐谈未可听

五五

诗思低回根肺腑[1]，墨痕狼藉化飞腾[2]。
满襟泪溅黄麻纸[3]，薄幸谐谈未可听[4]。

杜牧自书张好好诗真迹，其结句云：“洒尽满襟泪，短章聊一书。”此卷硬黄麻纸，墨痕浓淡相间，时有枯笔飞白[5]，中有点定之字，知非出于他人重录。斯樊川之亲笔[6]，人间之至宝也。唐代诗人字迹，即石刻本，且半属依托者，尚不易多见，况豁然心胸，丝毫无容置疑，若此卷者乎！

此卷前有月白绢渗金书签[7]，盖出宣和御笔[8]。四十年前，尚粘连卷首。其后突经扰攘[9]，装池零落[10]，绢签亦失。辗转归张伯驹先生，余获观之。曾于影印本前记所见云：“三生薄幸[11]，五国仓皇[12]，俱于纸上，依稀见之。”一日张葱玉[13]、谢稚柳、徐邦达三先生来寒斋，葱玉于敝案头翻观书帖。忽闻拍案而呼曰：“快来看，此处有妙文。”及共观之，乃指此四句也。今葱玉弃其宾客[14]，已十八年矣，每读樊川遗迹，复忆挚友燕谈，何胜人琴之痛也[15]！

[注释]

① 根肺腑：以内心感情为根基。

② 狼藉：此处形容满篇皆是。

③ “满襟”句：谓杜牧在书写《张好好诗》时将热泪洒满黄麻纸上，亦即文中所引《张好好诗》结句所云：“洒尽满襟泪，短章聊一书”。

④ “薄幸”句：杜牧曾自我解嘲云：“十年一觉扬州梦，赢得青楼薄幸名。”此句承上句，谓杜牧自称“薄幸”，只是自我嘲讽之语，千万不能认真，因为《张好好诗》即证明他非薄幸之人。 谐谈：玩笑语。

⑤ 飞白：用枯笔所书，笔划中留有空白之处。

⑥ 樊川：即杜牧。

⑦ 月白绢渗金书签：以月白色绢为底，泥金题签。渗金书：用胶和金粉来写字。

⑧ 宣和：宋徽宗年号，此指代宋徽宗。

⑨ 突经扰攘：此卷原为清宫藏品，后被溥仪带出宫外，流落民间，遭到损坏。

⑩ 装池：装裱。 池：指装裱的边。

⑪ 三生薄幸：指杜牧“赢得青楼薄幸名”。

⑫ 五国仓皇：指宋徽宗被金俘虏到五国城。

⑬ 张葱玉：张珩，与谢稚柳、徐邦达皆为字画鉴定家。

⑭ 弃其宾客：喻逝世。

⑮ 人琴之痛：用子期死后伯牙终身不再抚琴之典。

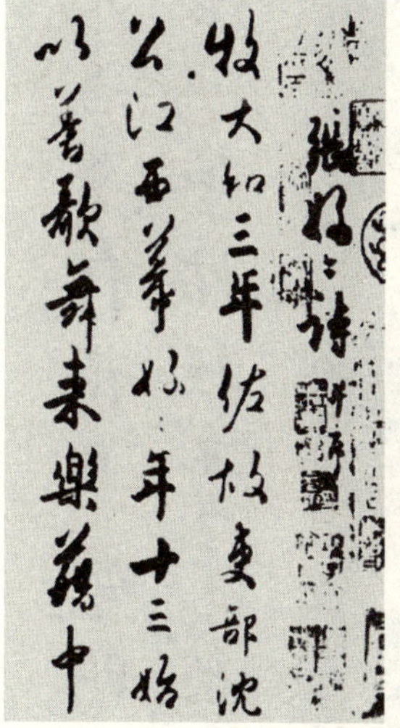

杜牧张好好诗

謝客先書庾信詩早懸明鑑考功辭騰
誣攘善鴻堂帖枉費千思與萬思

五六

谢客先书庾信诗[1]，早悬明鉴考功辞[2]。
腾诬攘善鸿堂帖[3]，枉费千思与万思[4]。

宋人狂草书庾信步虚词诸作一卷，昔人旧题为谢灵运书，丰坊曾详辨之，书于卷后拖尾[5]，复有人作文徵明派之小楷重书一通，附于其后。丰氏所辨，以为谢氏不能预书庾诗，其理至明。而果出谁笔，则仍自存疑，犹不失盖阙之义[6]。其后董其昌继跋之，谓狂草始于伯高[7]，遂直定为张旭之迹。仁智异见，固无妨于并存。惟其刻入戏鸿堂帖时，后加短跋，则谓丰氏跋“持谢书之说甚坚”，且自诩辨非谢书，于伯高之迹，有再造之功。则直成诬罔，盖欺世人之不易亲见丰跋也。

董氏以府怨遭民抄，曾致书其友人吴玄水以自辩，吴氏复书首云：“千思万思思老先生”，以董号思白，书语嘱其自省己愆也[8]。

此卷自董题之后相沿以为张旭真迹。按其中庾句“北阙临玄水，南宫生绛云”，玄水书作丹水。北水南火[9]，水黑火红[10]，此五行说，久成常识矣。而改玄为丹，其故何在？按宋真宗自称梦其始祖名玄朗，遂令天下讳此两字。

此卷狂草，盖大中祥符以后之笔耳。

[注释]

① 谢客：谢灵运（385—433）。先书：指在庾信（513—581）之前就能写下庾信之诗，言其不可能也。

② 考功：指丰坊，明人，曾作过礼部考功员外郎。此句谓丰坊对此事早有详辨，且考辨得十分清楚，充分证明此帖决非谢灵运所书。

③ "腾诬"句：即文中所说董其昌的观点，他虽然不同意为谢灵运所书，而主张为唐张旭所书，但在刻入《戏鸿堂帖》中的跋语却不顾是非，硬说丰坊认为此帖是谢灵运所书。腾诬攘善：错误宣传，排斥正确意见。鸿堂：戏鸿堂，董其昌曾刻《戏鸿堂帖》。

④ "枉费"句：谓董其昌的这种作法辜负了吴玄水提醒他要"千思万思"的好意。详见文中。

⑤ 拖尾：卷后空白。

⑥ 盖阙之义：《论语》言，"君子于其所不知，盖阙如也。"即对自己不知道的事就存而不论。

⑦ 伯高：张旭字伯高。

⑧ "董氏"六句：董其昌家在当地（华亭）有种种劣迹，如其子霸占家人之媳等，最终引起民怨，烧其家，抄其产，董其昌本人不知自省，故在给友人吴玄水的信中为自己多方辩护。吴氏借助于董其昌号"思白"，便劝谏他不要怨天尤人，而应对自己反躬自责，"千思万思"。府怨：宿怨、积怨。民抄：百姓自发起来抄家。思老先生：用"思白"的第一个字来称呼董其昌。

⑨ 北水南火：五行家认为北方属水，南方属火。

⑩ 水黑火红：证明原文本应作"北阙临玄（黑）水"。

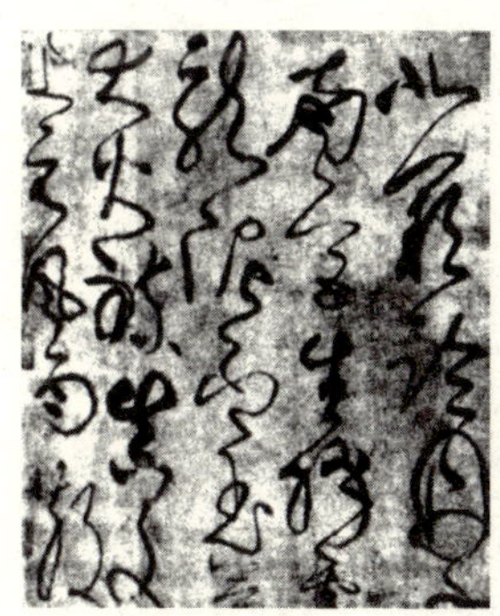

宋人书庾信诗

非狷非狂自一家草堂夏熱起龍蛇壺公忽現容身地方丈蓬山是韭花

五七

非狷非狂自一家[1]，草堂夏热起龙蛇[2]。
壶公忽现容身地[3]，方丈蓬山是韭花[4]。

杨凝式墨迹四种。

杨凝式书，宋人推挹极高[5]，每与颜鲁公并称，号为颜杨，盖由唐启宋，书法上一大转轴。惟其平生所书，多在寺观园林之壁上，犹之唐人绘画，每随殿宇摧颓而同归于尽。世行碑版，杨书竟无一石焉。

宋人丛帖，如淳熙秘阁续帖、凤墅帖等[6]，俱见杨书之目[7]，而帖既凋残，今偶见存本，其中亦未存杨帖。只余汝帖中云驶等八字[8]，已无神采可观。

其墨迹今世幸存者，尚有四种：卢鸿草堂图后有杨书跋尾一段[9]，天真烂漫，一气呵成，持比鲁公祭侄稿，竟无多让[10]，见此乃悟颜杨并称之故。其次韭花帖，小真书精警奇妙，得未曾有[11]，摹本甚多，百爵斋藏本乃其真迹[12]。夏热帖挥洒酣畅，惜过于糜烂，存字完者无多。神仙起居法小草书，行笔流滑，帖后一“残”字，笔顺竟联绵倒写，迹近游戏，殆适风疾发时所书耳[13]。此帖亦有摹本，故宫藏者为真迹。

［注释］

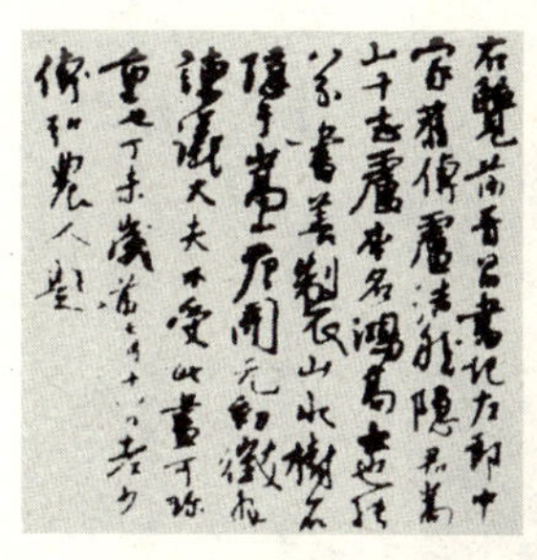

五代杨凝式书草堂图跋

① 非狷非狂：杨凝式绰号“杨疯子”，故有此比。狷（juàn）：孤傲。

② 草堂、夏热：皆为杨凝式行草体的帖名。 起龙蛇：形容行草体笔势飞舞的样子。

③ 壶公：传说中的仙人，白天能与人同游，夜间则藏于壶中。容身地：指壶公容身之壶。

④ 方丈：相传身为菩萨的维摩诘所居的居室一丈见方，但容量无限。以后多以方丈喻禅宗寺院住持所居之所。 蓬山：传说中的仙山。 韭花帖：杨凝式的代表作，以行书书写的信札，字较小。此二句谓《韭花帖》字虽小，但气派却很大。

⑤ 推挹：推崇。

⑥ 淳熙秘阁续帖：南宋内府所藏所谓“续”，指《续淳化阁帖》。凤墅帖：南宋人曾宏父所刻，主要收集五代到南宋的作品。

⑦ 杨书之目：杨凝式书法的目录。

⑧ 汝帖：河南汝州所刻之帖，内收杨凝式作品。“云驶”等八字：为“云驶月晕，舟行岸移”，原为《圆觉经》中语。

⑨ 卢鸿草堂图：唐人卢鸿在终南山中有别墅，卢鸿草堂图即据别墅中草堂所绘。

⑩ 《祭侄稿》：为颜真卿所作。多让：多大差距。

⑪ 得未曾有：得前人所未曾有。

⑫ 百爵斋：罗振玉的斋名。

⑬ 风疾发时：“疯病”发时的游戏之笔。

江行署字實奇觀韓馬標題見一臠有此毫鋒如此腕羅衾何怕五更寒

五八

江行署字实奇观[①]，韩马标题见一脔[②]。
有此毫锋如此腕[③]，罗衾何怕五更寒[④]。

南唐后主李煜书。

李后主书，宋人亦每称之。宋丛帖中常载其目。今惟汝帖残石中存其五言律诗一帖[⑤]，顾已剥蚀模糊，非复真面目矣。凤墅帖残本七卷中[⑥]，有中主之书，而缺后主。才人不幸，而为帝王，笔砚平生，竟无寸札之留，只余啼血号天[⑦]，小词数首，亦可哀已。

今世传有古画题署二事，以余考鉴，盖同出李后主之笔。唐韩幹画马卷首有“韩幹画照夜白”六字，下有花押一[⑧]。其邻近隔水处有吴说题识，云“南唐押署所识物多真”，知其为南唐之字，笔法健拔，与汝帖中字相类，可知为后主笔。此其一也。又赵幹画江行初雪图，卷首有“江行初雪，画院学生赵幹状”十一字，字大如钱，笔势亦与汝帖中迹相类。或谓此为画者之款，然唐宋画人应诏之款，无在卷首作大字者。此盖后主之标题，“赵幹状”者，犹云赵幹所画者耳。此其二也。观其笔势，似欲锥破统万城墙者⑨，乃知虚张声势，无救亡国也。

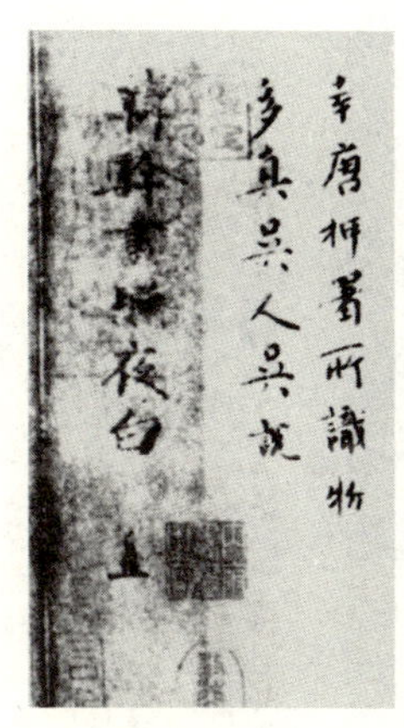

南唐后主李煜书照夜白图题

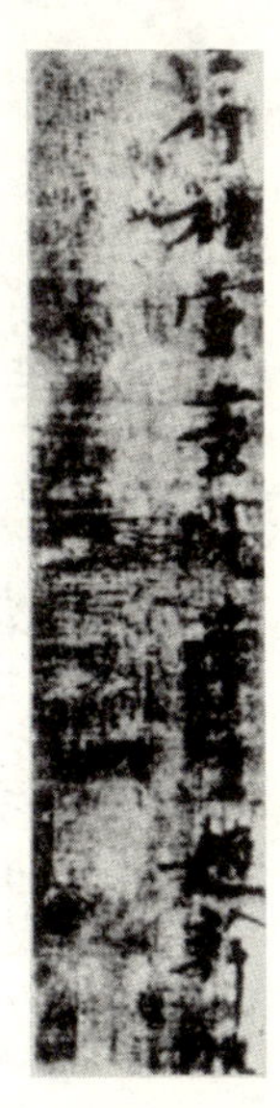

江行图题

[**注释**]

① 江行署字：即文中所说李后主在赵幹的画上署上“江行初雪”的字样。

② 韩马标题：即文中所说李后主在韩幹的画马卷上署上“韩幹画照夜白”的字样。 见一脔：能见到李后主书法之一斑。语出《吕氏春秋·察今》：“尝一脟（脔）肉而知一镬之味，一鼎之调。”

③ “如此腕”：作者自注当作“有此腕”。

④ 罗衾何怕五更寒：李后主在亡国后所作的《浪淘沙令》中有“帘外雨潺潺，春意阑珊。罗衾不耐五更寒。梦里不知身是客，一晌贪欢”之句。此为讥讽语，言李后主有如此雄劲的笔力，罗衾当不怕五更寒了。

⑤ 汝帖：见上首注⑧。

⑥ 凤墅帖：见上首注⑥。

⑦ 啼血号天：谓其词的内容与风格。《浪淘沙令》即属这类作品。

⑧ 花押：草书签名或代替签名的特种符号。

⑨ 锥破：用锥子扎破。 统万城墙：据《晋书》载，贺连勃勃筑“统万城”时，让工匠将筑城土蒸了，再用煮江米的米汤和成泥，板筑而成，筑后再用锥子验收，如能用锥子扎透，则为不合格，筑墙的工匠将被杀掉。

行押徐鉉體絕工江南書格繼唐風名家汴宋存遺矩只有西臺李建中鉉有平讀

五九

行押徐铉体绝工[1]，江南书格继唐风[2]。

名家汴宋存遗矩[3]，只有西台李建中[4]。

（铉有平读）

徐铉、李建中。

徐铉书，世传多篆字，如所摹绎山碑、碣石颂[5]，其荦荦者。栖霞有其兄弟题名[6]，亦篆书，但作“徐铉、徐锴”四字。近世出土温仁朗墓志为大徐篆盖[7]，新发于铏[8]，最见真貌，然非真行墨迹。譬之峨冠朝服相见于庙堂之上，不如轻裘缓带促膝于几榻之间为能性情相见也。

大徐简札墨迹，数百年所传，惟贵藩一帖[9]。其帖曾入石渠宝笈，而三希堂、墨妙轩俱未摹勒[10]，不知其故。今屡见影本，笔致犹是唐人格调，札尾具名处作一花押。不见此札，不知大徐墨迹之真面目，亦不知唐代书风，与时递嬗，至宋而变，其变如何也。

北宋时后于大徐亦存唐人余风者，李建中其人也。今存土母等四帖，笔法与大徐绝相类，札尾犹作花押，亦见一时习尚。

米芾论月仪帖云，“时代压之，不能高古”，大化迁流，豪杰莫能逆转，“二王无臣法”⑪，岂诡辩哉！

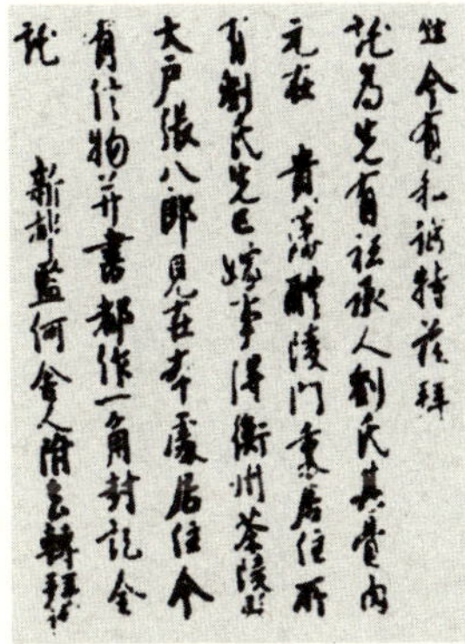

宋徐铉尺牍

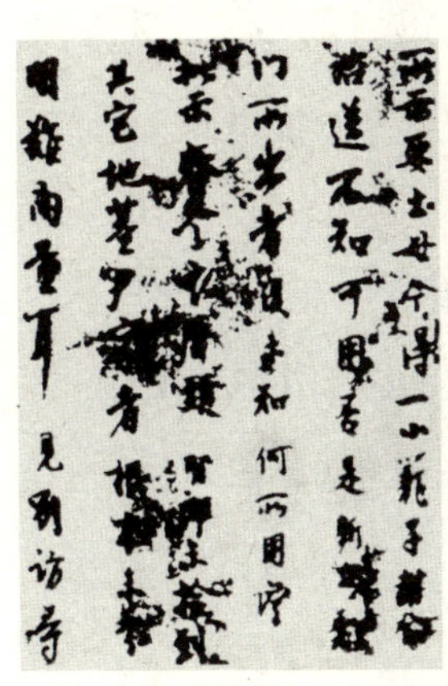

李建中书

[注释]

① 行押：行书。 徐铉：曾在南唐为官，后随后主入宋。精于小篆、隶书。

② 江南：南唐在未并入宋时，曾因受宋之压力，放弃国号，自称“江南国主”。这里的“江南书格”即指南唐的书法风格。

③ 汴宋：北宋。北宋以汴梁为首都，故称。 遗矩：唐代遗风。

④ 西台：西京留司御史台简称。李建中，善行书。官至工部郎中，求掌西京留司御史台，人称李西台。

⑤ 绎山碑、碣石颂：皆为秦刻石，篆体。

⑥ 栖霞：南京栖霞山。 兄弟：徐铉与其弟徐锴有“二徐”之称，分别称大徐、小徐。

⑦ 篆盖：古时墓志铭例用二石相合，以一石为盖。盖石题死者爵里姓名，习惯用篆书，称“篆盖”。

⑧ 新发于硎：有如刚用磨刀石磨过。 硎：磨刀石。形容字体清晰分明。

⑨ 贵藩帖：即插图所引，因正文开始处有“贵藩”二字，故名。

⑩ 墨妙轩：乾隆后期将三希堂所未收藏者加以补刻，石原存北京颐和园谐趣园内。

⑪ 二王无臣法：梁武帝曾说张融书法无二王（王羲之、王献之）法，张融答曰：“不恨臣无二王法，二王亦无臣法。”

編摹底本自昇元王著徒蒙不白冤淳化工粗大觀細宋鐫先後本同源

六十

编摹底本自升元[①]，王著徒蒙不白冤[②]。
淳化工粗大观细[③]，宋镌先后本同源。

淳化阁帖，大观帖。

魏晋以来法书墨迹，历经离乱，至宋所存无几。试观《宣和书谱》所载[④]，名目虽繁，以今存古迹之曾经宣和著录者，已真伪参半。米芾得见数纸晋人墨迹，以其确出晋人手写而非钩摹者，已不惜一再记之，诧为稀有。徽宗富贵天子，元章书画祖师，所见止此。常人欲观六朝隋唐法书者，其难自可想见！

以古法书之难见也，故淳化阁帖在当时累次翻摹，风行天下，绝非偶然。阁帖固有传播之功，惟枣板摹刊，失真自易，其得谤亦在于此。而王著竟为众谤所丛[⑤]，是盖随声不察者多耳。

钩稽宋人所记[⑥]，盖南唐曾以向拓集摹历代法书，共成十卷。其纸用油素[⑦]，法用钩填，既非原迹，故称“仿书”。“仿书”者，犹今所谓“摹本”。昔人钩摹，亦称曰拓，非南唐刻石、宋人翻刻之谓也[⑧]。大观出其南唐集拓底本，重加精刊，如今之善本古书，虽曾影印，以其不精，再加精工重印耳。此桩公案，情理如斯，愿与赏音共商之。

淳化阁贴题首

淳化刻王帖

大观贴题首

大观刻王帖

[**注释**]

① 底本：指《淳化阁帖》的底本。《淳化阁帖》为宋代最早之法帖，此后刻帖风气渐盛。升元：五代十国时南唐烈祖李昪的年号（937—943）。

② 王著：《淳化阁帖》的编者，北宋太宗时曾官侍书学士，即专门侍奉皇帝写字的官职。因是在淳化年间所刻，故称《淳化阁帖》。

③ 大观：宋徽宗年号（1107—1110），此处指徽宗时所编的《大观帖》。

④《宣和书谱》：宋徽宗时内府所藏书法目录集。 宣和：宋徽宗年号（1119—1126）。

⑤ "而王著"句：昔人常批评王著所编之《淳化阁帖》错误很多。王著编刻时，所依据的作品来自南唐"仿书"（钩摹本），而非原作。

⑥ 钩稽：综合考察。

⑦ 油素：烫过蜡的纸。

⑧ "'仿书'者"五句：这里所说的"仿书"，仅指钩摹，而非指临摹或翻刻，正像昔人钩摹也称"拓"一样，这里的"拓"也决非指拓碑。盖古人用词的概念并不像今人这样准确。

晋代西陲纸数張都成阁帖返魂香回
看枣石迷離處意態分明想硬黄

六一

晋代西陲纸数张，都成阁帖返魂香[①]。
回看枣石迷离处[②]，意态分明想硬黄[③]。

西域出土晋人墨迹。

昔言草真行书者，莫不推尊晋人为大河之星宿海[④]，然晋人真面，究有几人得见？米元章云："媪来鹅去已千年[⑤]，莫怪痴儿收蜡纸。"[⑥]盖北宋所见，已但凭硬黄摹拓本矣。元章宝晋斋[⑦]，自诧所收为真晋人书者，不过谢安慰问，羲之破羌，献之割至[⑧]。三帖原本，至今又无踪迹，见者惟元章自刻本与夫南宋人翻本而已。

孰意地不爱宝，汉晋墨书，累次出土。木简数盈数万，大都汉代隶草，可以别论。其真书则佛经、笺牒[⑨]，亦复盈千累万。至草书之奇者，如楼兰出土之"五月二日济白"一纸[⑩]，与阁帖中刻索靖帖毫无二致，"无缘展怀"一纸则绝似馆本十七帖[⑪]。其余小纸，有绝似钟繇贺捷表者。吾兹所谓相似，绝非捕风捉影，率意比附之谈。临枣石翻摹之阁帖时，能领会晋纸上字，用笔必不钝滞。如灯影中之李夫人，竟可披帷而出矣[⑫]。

楼兰出土晋人书

索靖帖

[注释]

① 返魂香：令人再生的香。此句意谓看到晋代西陲墨迹，再看阁帖，就能显出生气了。

② 枣石：谓碑刻。 迷离处：不分明处。

③ "意态"句：谓能清楚地想象出刻碑时所用的墨迹的底本。

④ 星宿海：地名，在青海，古人以之为黄河的发源地。这里代指源头。

⑤ 媪来鹅去：见《法书要录》所载虞和所记的王羲之轶事。媪，指卖扇老媪。王羲之在她的一把扇子上题了字，老媪初不快，认为弄脏了她的扇子。王羲之对她说，但称王右军所书，于是果卖得大价钱。后来老妪再找他写，他笑而不答。鹅，指为道士写《老子道德经》事，道士问何以为报，羲之曰，把你的鹅给我即可。此句谓晋人（王羲之）书法距现在已有千年之遥了。

⑥ 收蜡纸：只能搜集摹本。

⑦ 宝晋斋：米元章所刻。

⑧ 慰问、破羌、割至：皆为帖名。

⑨ 笺牒：简札。

⑩ "五月二日济白"：即附图所刊的《楼兰出土晋人书》。

⑪ "无缘展怀"句：参见第五首。

⑫ "如灯影"二句：《汉书·外戚传》："上（汉武帝）思念李夫人不已，方士齐人少翁言能致其神。乃夜张灯烛，设帷帐，陈酒肉，而令上居他帐，遥望见好女如李夫人之貌，还幄坐而步。又不得就视，上愈益相思悲感，为作诗曰：'是邪，非邪？立而望之，偏何姗姗其来迟！'"此处是指如能通过碑刻领会墨迹原貌，就会像从灯中李夫人之影看到活生生的李夫人一样。

百刻千摹悬国门昔人曾此问书源赫然一卷房中诀堪笑黄庭语太村

六二

百刻千摹悬国门[1]，昔人曾此问书源[2]。
赫然一卷房中诀[3]，堪笑黄庭语太村[4]。

黄庭经是否王羲之书，本无定论。梁虞和记羲之事[5]，谓换鹅所写为道德经。至李白诗则云："山阴道士如相见，应写黄庭换白鹅。"诗人隶事，本与考订无关[6]。句律所关，又用平不能用仄。且黄白相对，妃丽可观[7]，自此艺术点染，竟成书林信谳矣[8]。

黄庭之所以遭人附会羲之，惟在"永和山阴县写"诸字，试问永和之年，山阴之地，执笔之人，难道只有一王羲之其人乎？

此经翻刻本之多，不让兰亭之千百成群。原本添注涂抹，或即造经者起草之本。"心太平"本[9]，七字成文，则是经人誊清修润者。道藏吾未尝窥，但观《云笈七籤》中本[10]，亦是七字成文者，观整齐加工之本[11]，转觉涂注本之略存起草面目矣。"养子玉树"一行有涂抹之笔，翻刻本作双钩一条，宋刻作一白道，犹存抹笔之迹象焉。

［注释］

① 悬国门：当年吕不韦成《吕氏春秋》后，曾将其悬之国门，称能以一字易之者，赏千金。
② 问书源：探究楷书的根源。
③ 房中诀：以歌诀形式述房中术。
④ “堪笑”句：意谓《黄庭经》虽为道家典籍，但全篇多述房中术，内容十分村俗。
⑤ “梁虞和”二句：参见上首注⑤。
⑥ “至李白”五句：谓李白变“道德经”为“黄庭经”本属诗人随手所写，不足为凭。再者“应写”本有悬想揣摩之意，并非定论。
⑦ 妃丽：骈偶。
⑧ 信谳（yàn）：定论。
⑨ “心太平”本：全文七字成句，文中有“闲暇无事心太平”句，一般作“闲暇无事修太平”，故称前者为“心太平”本。
⑩ 《云笈七籤》：道家典籍。
⑪ 整齐加工之本：即七字成文之本。

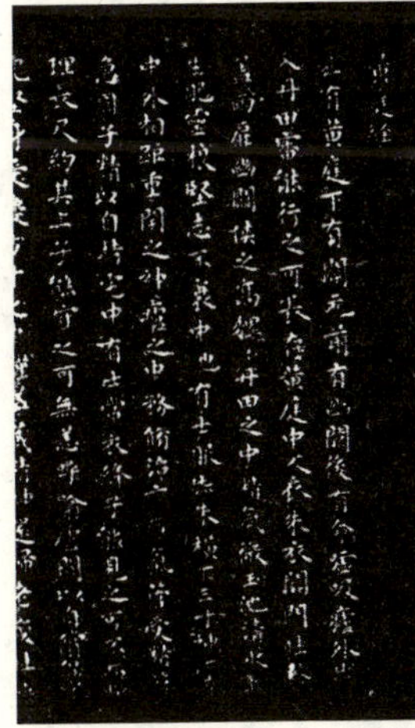

传王羲之书黄庭经

失名人寫孝娥碑擬不於倫是誄辭讖
語畢陳仍進隱長篇初見晉傳奇

六三

失名人写孝娥碑[1]，拟不于伦是诔辞[2]。
谶语毕陈仍进隐[3]，长篇初见晋传奇[4]。

曹娥碑。

昔人于事物，每好求其作者以实之，于是俗语不实，流为丹青者有之[5]；李代桃僵、张冠李戴者亦有之。小楷书帖之悉归王羲之，犹如汉碑之悉归蔡邕也。此帖本无书者姓名，南宋群玉堂帖但署“无名人”，较为近理，其余丛帖莫不属之羲之也。

余尝考之，其文与《水经注》中所引，殊不相合。《水经》多载名胜古碑，其言自非无据者。且帖中行文隶事，多是节妇殉夫之典，与孝女殉父渺不相关。至于遣辞，尤多纰漏累赘之处，谓为“绝妙好辞”[6]，转同讥讽。拙作有“绝妙好辞辨”一篇[7]，曾详论之，兹不复赘。

此盖一篇小说，刘义庆曾用之于《世说新语》，刘峻作注，已拈出曹操未尝渡江之疑[8]。书苑中固多好文章，如唐何延之兰亭记[9]，与此皆传奇。此篇尤早于唐人，惜世之辑传奇小说者，搜索未及也。

[**注释**]

① 失名人：一般都称《曹娥碑》为王羲之所书，只有南宋《群玉堂帖》称“无名人”所书。孝娥碑：即曹娥本。曹娥本为孝女，且因平仄关系，此处故称孝娥。

② 拟不于伦：比拟得不伦不类。因碑中所记多是节妇殉夫之事，而不是孝女殉父之事。诔辞：哀悼死者的文章，与哀辞、祭文同属一类。

③ 谶语：谶言式的预言。 进隐：当年东方朔为汉武帝献谜语，称“进隐”。

④ “长篇”句：一般认为传奇产生于唐代，此处谓晋人的曹娥碑实际上就是一篇长篇的传奇小说。

⑤ 流为丹青：流传后被写进史书。

⑥ “绝妙好辞”及下文之《世说新语》：参见第廿七首注②。

⑦ “拙作”句：见《启功丛稿》。

⑧ “已拈出”句：曹操从未渡过长江，故不可能见到位于曹娥江（在浙江）的曹娥碑。

⑨ 兰亭记：见《法书要录》。

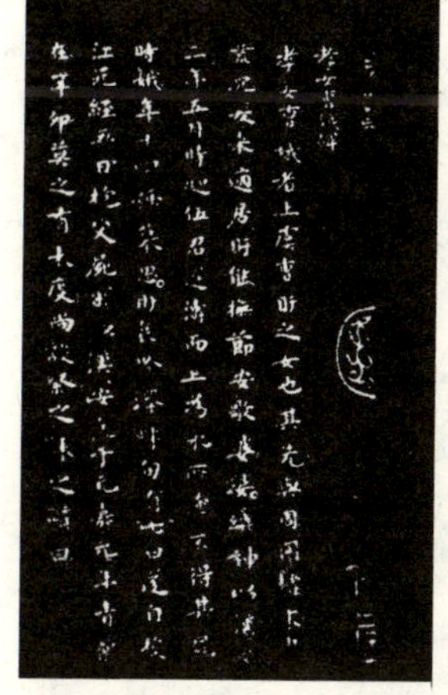

晋人书曹娥碑

子發書名冠宋初流傳照乘四明珠寥寥跋尾誰能及不是蘇髯莫喚奴

六四

子发书名冠宋初，流传照乘四明珠[①]。
寥寥跋尾谁能及，不是苏髯莫唤奴[②]。

周越。越字子发。“落笔已唤周越奴”，苏轼句也。

周子发书，为北宋一大家，而遗迹流传极少。石渠旧藏王著书真草千文[③]，后有周跋，四十年前已成劫灰[④]。今所存者，惟石刻四事，皆跋尾也。

其一，陕刻怀素律公帖，后有周氏跋，笔势雄强飞动。前段行草，末行年月独作真书。黄庭坚少时曾学越书，后颇不足于少作[⑤]。世遂耳食以议周氏书风[⑥]，实皆未见其迹也[⑦]。米芾谓“人称似李邕，心恶之”，此与黄氏悔学周越何异，于邕书又何损乎？且黄作草书长卷，尾款多作真行，殆亦习于周法耳。其二，柳公权跋本洛神赋十三行，后有周跋，楷书作钟繇派，宋刻吾未尝见，但见明玄宴斋精摹本[⑧]。其三，有清中叶出土欧阳询草书千文残石，尾有周跋，即作欧体。其四，泰山种放诗后一石[⑨]，右上角有周氏观后短题，石顽刀钝，刻法最粗。

平生所见，只此而已。

［注释］

① 照乘四明珠：谓周越所传四件书法作品有如四颗明珠。 照乘：宝珠名，光亮能照明车辆的宝珠。

② “不是”句：意谓只有苏轼能称他为奴，别人则没这资格。

③ 石渠：《石渠宝笈》。

④ 已成劫灰：按：此跋语今又在台湾出现，作者在写此文时尚未见。

⑤ 不足于少作：不满于少作。

⑥ 耳食：听传闻。

⑦ 迹：指周越之墨迹。

⑧ 玄宴斋精摹本：明人刻本。

⑨ 种（chóng）放：宋代隐士。

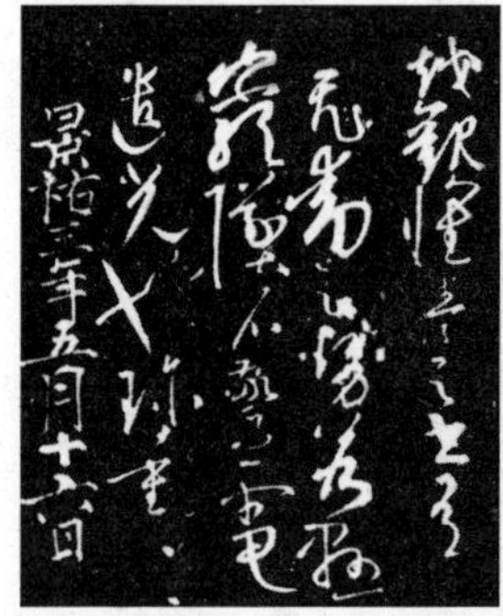

宋周越书怀素帖跋

矜持有態苦難舒顏告題名逐字摹可笑東坡饒世故也隨座主譽君謨

六五

矜持有态苦难舒，颜告题名逐字摹[①]。
可笑东坡饶世故，也随座主誉君谟[②]。

蔡襄真书有二种，一是虞世南体，谢赐御书诗是也。此乃北宋前期通行流派，如刘敞等属之。一是颜真卿体，颜公告身后蔡氏题名是也。二体俱不免于矜持。其行草书手札宜若可以舒展自如矣，而始终不见自得之趣，亦不成其自家体段。此病非独蔡书为然，明代祝允明书亦复如是。此非后生妄议前贤，知书者必不河汉斯论[③]。

欧阳永叔于蔡书誉之于前，苏东坡继声于后，至称为宋朝第一，未免阿好[④]，然亦非绝无缘故者。文与艺俱不能逃乎风气，书家之名，尤以官爵世誉为凭借。就其一时言之，书艺专长者，诚非蔡氏莫属。苏黄起而振之，其意初不在书，此其所以能转移积习也。尚有须进一解者，夫能转移积习者，惟由其意不在书，世每见有刻意求名，凭空转移，以自矜创获者，则其所以都不能及苏黄也。

至于四家之目[⑤]，本属俗说，谈之齿冷。

四家中蔡之一姓，为襄为京，乃至为京为卞，
俱非吾所欲论者[⑥]。

[注释]

① 颜告：颜真卿告身书。

② 座主：座师。此指欧阳修。 君谟：蔡襄字君谟。

③ 不河汉斯论：不以我这一观点为太不着边际。河：指地上。 汉：指天汉、天河。二者相隔甚远。

④ 阿好：阿谀奉迎，投其所好。《老子》：“唯之与阿，相去几何？”意为唯唯诺诺与阿其所好能相差多远？

⑤ 四家之目：以四家并列的说法。如苏、黄、米、蔡称为“宋四家”。

⑥ “四家中”四句：参见第十二首。

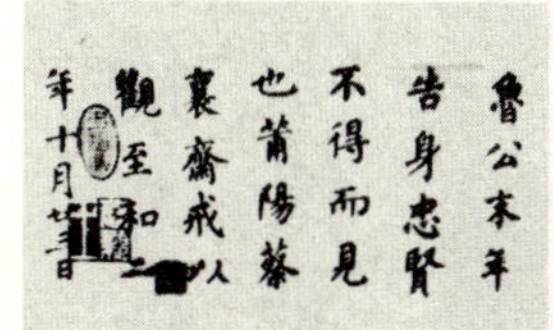

宋蔡襄书颜真卿告身跋

夢澤雲邊放釣舟坡仙墨妙世無儔天
花墜處何人會但見春風繞樹頭

六六

梦泽云边放钓舟[①]，坡仙墨妙世无俦。

天花坠处何人会[②]，但见春风绕树头[③]。

苏东坡书太白仙诗。

东坡书经元祐党籍之禁[④]，毁灭者多矣。偶逃烬火者，亦多遭割截名款。然其书流传，依然如故，世人见而识之，什袭宝之[⑤]，并不在款识之有无也。书卷传世者，必以黄州寒食诗及所谓太白仙诗者为巨擘。仙诗笔致尤挥洒流畅，且有金源诸家跋尾[⑥]，倍堪珍重也。

诗盖东坡自作，托为仙语，且诡称道士丹元所传，一时游戏，后世或竟编入太白集中，岂尽受其识语所欺[⑦]，亦由诗笔超逸[⑧]，足乱青莲之真耳。

其诗为五言古诗二首，第一首云："朝披梦泽云，笠钓清茫茫。寻丝得双鲤，内有三元章"云云。次首云："人生烛上花，光灭巧妍尽。春风绕树头，日与化工进"云云。窃谓坡书境界，亦正如其诗所喻，绕树春风，化工同进者。

[注释]

① “梦泽”句：檃括东坡诗第一首前二句，见文中所引。

② “天花”句：据《维摩诘经》载，文殊向维摩诘问法，维摩诘所说之语有如“天花乱坠”。此处指苏诗文采之妙。

③ “但见”句：引用东坡诗第二首的第三句，用来形容其诗之妙。

④ 元祐党籍：宋代新旧党争后期，新党执政，把在元祐年间执政的旧党列为元祐党籍，一并排抑，苏东坡属元祐党籍中人。

⑤ 什袭：层层包裹，加以珍藏。

⑥ 金源：即金朝。

⑦ “岂尽受”句：东坡于文后附跋语云：“丹元复传此二诗”，世人遂尽信其果为丹元所传李白诗。识（zhì）语：指跋语。

⑧ 诗笔超逸：其实此诗乃为东坡所润色。

宋苏轼李太白仙诗

字中有筆意堪傳夜雨鳴廊到曉懸要識涪翁無秘密舞筵長袖柳公權

六七

字中有笔意堪传，夜雨鸣廊到晓悬[①]。

要识涪翁无秘密[②]，舞筵长袖柳公权。

黄庭坚书，以大字为妙，其寸内之字，多未能尽酣畅之致。行书若松风阁诗[③]，阴长生诗[④]；草书若忆旧游诗[⑤]，廉蔺列传，青原法眼语录等[⑥]，皆字大倍一寸，始各尽纵横挥洒之趣。

涪翁论书谓字中须有笔，如禅家之句中有眼。又自谓其早岁之书，字尚无笔。安有有字而无笔划者？此盖机锋譬喻之语耳[⑦]。仆尝习柳书，又习黄书，见其结字用笔，全无二致。用笔尽笔心之力[⑧]，结字聚字心之势[⑨]，此柳书之秘，亦黄书之秘也。

黄书用笔结字，既全用柳法，其中亦有微变者在，盖纵笔所极，不免伸延略过，譬如王濬下水楼船，风利不得泊[⑩]。此其取势过于柳书处，亦其控引不及柳书处也。

昔传苏黄互嘲其书，有石压虾蟆，枯梢挂蛇之谑[⑪]，余借松风阁诗“夜雨鸣廊到晓悬”句以喻黄书，亦枯梢挂蛇之意耳。

[注释]

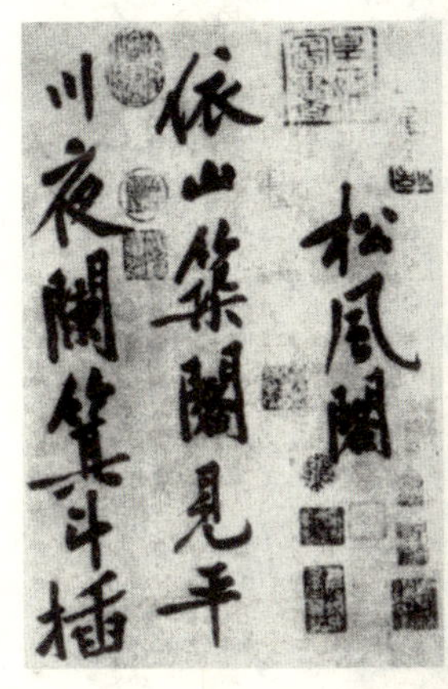

宋黄庭坚书松风阁诗

① “夜雨”句：见文中最后一段所引，形容字势有如檐间之水不断下注。

② 涪翁：黄庭坚字鲁直，号涪翁。

③ 松风阁诗：黄庭坚作。

④ 阴长生诗：汉诗。

⑤ 忆旧游诗：李白诗。

⑥ 青原法眼：即文益，禅宗法眼宗的创始人。

⑦ “此盖”句：意谓这些观点只能心领神会而难于言传。

⑧ 笔心之力：笔锋、笔的中心之力。一般人习惯称为“中锋”，但作者认为除了游丝体可称纯用中锋外，其余字体，既有肥瘦，必有附毫，很难纯用中锋，故不如以笔心一词更为准确恰当。

⑨ 聚字心之势：字的结构向中心聚拢。

⑩ “譬如”二句：见《晋书·王濬传》：王濬率水军从长江上游顺流而下攻打吴国时，采取杜预的建议准备“顺流长驱”，“径取秣陵”。后受王浑节度，王浑嫉其功大，曾遣使令他“暂过论事。濬举帆直指，报曰：‘风利，不得泊也。’”继续进发。

⑪ “有石压”二句：“东坡尝与山谷论书，东坡曰：‘鲁直近字虽清劲，而笔势有时太瘦，几如树梢挂蛇。’山谷曰：‘公之字固不敢轻议，然间觉褊浅，亦甚似石压虾蟆。’二公大笑。”（《宋人轶事汇编》卷十二引《独醒杂志》）

六八

从来翰墨号如林[①]，几见临池手应心[②]。
羡煞襄阳一枝笔[③]，玲珑八面写秋深[④]。

米芾述张旭帖云：“秋深不审气力复何如也。”笔势联绵，一气贯注，盖此十字即临张书。张旭此帖曾刻戏鸿堂帖中，然笔意绝似赵孟頫，殆出赵氏临本[⑤]，转不如米帖中节书十字焉。米氏自矜其笔锋独具八面，盖谓纵横转换莫不如志，观此十字，益信。

米书以中岁为最精，神采丰腴，转动照人，如此帖，其最著者。他若蜀素卷[⑥]，苕溪诗卷[⑦]，亦皆米书之剧迹，天壤之瑰宝也。至其晚岁之笔，则枯干无韵，如虹县诗等[⑧]，殆同朽骨，虽欲为贤者讳而有所不能也。

米又矜诩其小字，号为跋尾书，自称不肯轻与人书者，其中亦不无轩轾。所见墨迹，以向太后挽词为最腴润，刻本中以群玉堂帖龙真行诗为最流美[⑨]。若褚临兰亭跋尾[⑩]，传世墨迹三事[⑪]，兰亭八柱第二柱跋，只行书之较小者，别为一种。其余二卷，皆用退笔作小楷。至破羌帖赞[⑫]，纯是老手颓唐之作矣。乃知凡百艺能，不老不成，过老复衰，信属难事。

[注释]

① 翰墨林：笔墨之林，比喻文章笔墨汇集之处。

② 临池：《书谱》记王羲之“临池学书，池水尽墨”。可引申为习字之人。

③ 襄阳：米芾。

④ 玲珑八面：如文中所引，原为米芾自矜之语，见诸其子米友仁的题跋中。形容其笔力不但能达到上下左右，而且能圆转自如，面面俱到。　秋深：即《秋深帖》。

⑤ “张旭此帖”三句：意谓董其昌《戏鸿堂帖》中所收的张旭《秋深帖》，实为赵孟頫的临本，而非张旭真迹。　按：董其昌的《戏鸿堂帖》往往疏于鉴别，如沈德符《野获编》载董为刻帖，曾向友人借帖以备勾摹，友人忧其不还，称愿代其勾摹，其实只是随便临摹了几行，董就信以为真，收入戏鸿堂中。

⑥ 蜀素卷：四川所织，上带乌丝格，非常名贵。据说当时得到后，别人皆不敢下笔，米芾却一挥而就。

⑦ 苕溪诗卷：米芾在游苕溪（浙江天目山一带）时所作诗。

⑧ 虹县诗：在虹县时所作的诗。

⑨ 龙真行诗：米芾所作之诗。

⑩ 褚临：褚遂良所临。

⑪ 传世墨迹三事：即下文所说的《兰亭八柱第二柱跋》及“其余二卷”。　三事：三种，三件。

⑫ 《破羌帖》：传为王羲之所书，米芾题有赞语。

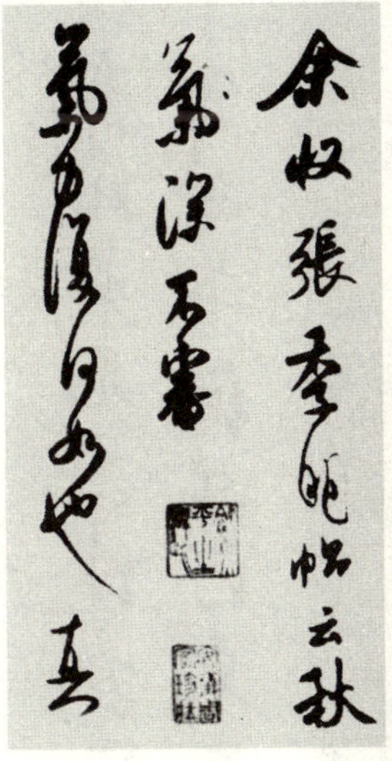

米芾秋深帖

薛米相齊比弟兄薛殊寂寞米孤行尚
留遺派鄉閎著繼起河東李士弘

六九

薛米相齐比弟兄[①]，薛殊寂寞米孤行[②]。
尚留遗派乡关著[③]，继起河东李士弘[④]。

薛绍彭、李倜。

薛绍彭，字道祖，著望河东[⑤]，所居号清閟阁，北宋时书苑之名家也。与米芾友善齐名，尝互争名次。薛云“薛米”，米云“米薛”，米有颠称[⑥]，于此亦足见薛之风趣。惟米书遍行天下，而薛书流传极罕。今日可见者，旧丛帖摹刻手札二三事，今行影印手札墨迹数事外，惟石渠旧藏杂书真迹长卷而已。观其用笔流美，不立崖岸[⑦]，真草皆近智永，而腕力未免稍弱。此殆关乎体质性情，非可以工夫胜者。或因此而不耐多书，是以于书国中不敌米之霸业耳。

近年发现薛氏摹刻唐摹兰亭，后有其真书一跋，作钟繇、王廙之体[⑧]，实开后来宋克之先河[⑨]，乃知其毫不著力之笔，乃出有意，非由不足也。

薛氏书派，南宋初吴说傅朋实沿之而力加精密[⑩]，元初之李倜士弘则绝似之，所见有陆柬之文赋跋及林藻深慰帖跋刻本[⑪]，真足以绍述清闷者。倜自署河东[12]，岂乡关风习，熏陶者多耶？

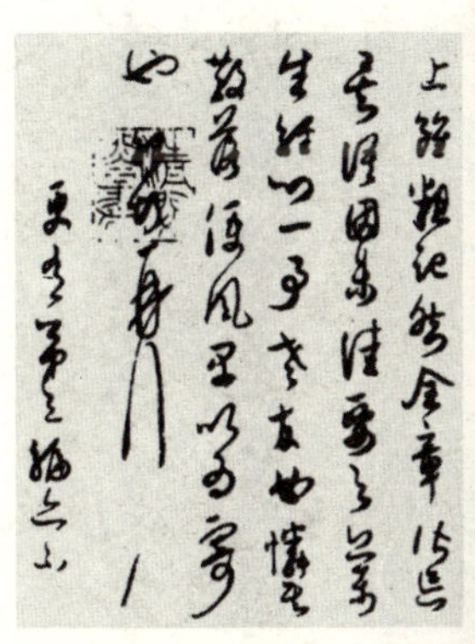

宋薛绍彭书

［注释］

① 薛：薛绍彭。 米：米芾。

② 米孤行：米芾一人独享其名。

③ 遗派：遗留的书法流派。 乡关著：因为薛李都自属河东，故称。

④ 李士弘：即李倜，字士弘。

⑤ 著望：郡望。薛绍彭自称“河东薛氏”。

⑥ 米有颠称：米芾号称“米颠”。

⑦ 不立崖岸：没有棱角，言其用笔柔和流美。

⑧ 王廙：晋人，王导从弟，工诗画。

⑨ 宋克：明初书法家。

⑩ 吴说（yuè）傅朋：名说，字傅朋。

⑪ 陆柬之：唐人。 《文赋》：晋代陆机所作，陆柬之曾书写过，后有李倜之跋。 林藻：唐人，其手札之一开头有“深慰”二字，故称《深慰帖》，后亦有李倜之跋。

⑫ 自署河东：自己署名为“河东李倜”，与薛绍彭自署“河东薛氏”相同，故称“乡关风习”。

元李倜书

多力豐筋屬宋高墨池筆塚亦人豪詳
搜舊格衡書品美謚難求一字超

七十

多力丰筋属宋高[1]，墨池笔冢亦人豪[2]。
详搜旧格衡书品[3]，美谥难求一字超[4]。

宋高宗勤于八法[5]，不减乃翁[6]。而平生数变，可得而计焉。初学黄庭坚，日本曾藏其手诏石刻拓本，与涪翁之笔，几无可辨。后以金国人效其笔行间[7]，遂改作他体，此事之见诸史乘者[8]。又曾学米芾，其事见于英光堂米帖岳珂跋赞中[9]，而世颇罕见其学米之迹。廿余年前，辽宁博物馆得米体大行书白居易诗七律一首一卷，后有御书印玺。石渠旧题为宋徽宗，继而鉴家复以为实属米笔，谓御书玺印为后人伪加者。既经目验[10]，证以岳倦翁语[11]，乃知其实为高宗学米之作[12]，足以乱真，有如是者。

其晚年多作智永体，草书略杂章草之势，而其手病愈不可掩[13]。从其点划结构之态，可见其捉笔必紧，管近掌心。同一扁跛，东坡之扁轻松[14]，高宗之扁急迫。其流派所及，吴后、孝宗[15]，下迨杨妹子无不如是[16]，御书院供奉辈所录《毛诗》[17]，连章累卷，更无论矣。总而品味之，都乏超逸之趣。乃知其学黄、学米极似处，正是中乏自主之力耳。

[**注释**]

① 宋高：宋高宗。

② 墨池：参见第六八首注②。笔冢：唐李肇《唐国史补》卷中："长沙僧怀素好草书，自言得草圣三昧，弃笔堆积，埋于山下，号曰'笔冢'。"又苏轼《东坡题跋·题二王书》："笔成冢，墨成池，不及羲之即献之。笔秃千管，墨磨万铤，不作张芝作索靖。"此处墨池笔冢指代习字用功者。

③ 旧格：宋高宗以往的各种书法风格。衡：衡量，品评。

④ "美谥"句：古代谥法多以一个字来概括其人的人品功业，对宋高宗的书法是很难用一个"超"字来赞美的。

⑤ 八法：书法。

⑥ 乃翁：宋徽宗。

⑦ 行间：模仿他的笔迹，进行间谍活动。

⑧ 史乘：史籍。

⑨ 英光堂：宋人刻本，清人有翻刻本。岳珂：岳飞之孙。

⑩ 既经目验：指作者自己亲眼看后。

⑪ 岳倦翁：即岳珂。

⑫ "乃知"句：又据作者所考，米芾墨迹中所题之事皆为己诗，从无题他人诗者，而此为书白居易诗，故不可能是米帖，当为宋高宗学米体所题。

⑬ 手病：执笔的毛病，即下文所说"捉笔必紧，管近掌心"，如此执笔，字往往较为拘谨，特别是右下角尤其明显。

⑭ 东坡之扁：按：东坡尝自云，写字时不用悬腕。

⑮ 吴后：高宗皇后。

⑯ 杨妹子：宁宗妃，理宗朝太后。

⑰ "御书院"句：有人将这些供奉所书的《毛诗》也都视为高宗所书，其实，其中有为避孝宗讳而改写之字，孝宗为高宗子，显然高宗不可能为其子避讳，故这些《毛诗》只能是御书院书手所为。

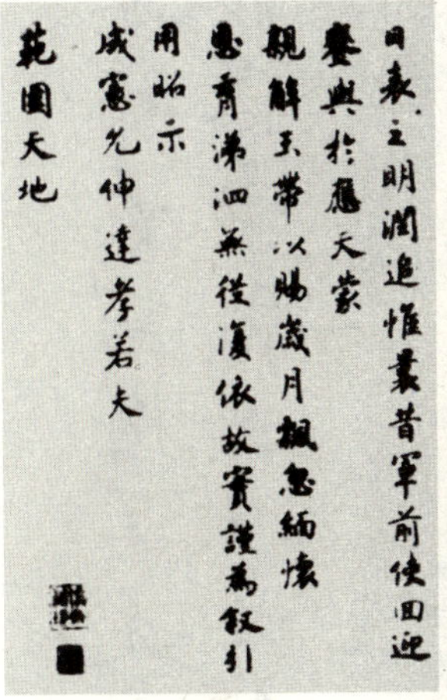

宋高宗书徽宗文集序

傅朋姿媚最堪师不是羲之即献之草
法更能探筆髓非同兒戲弄游絲

七一

傅朋姿媚最堪师，不是羲之即献之[①]。

草法更能探笔髓，非同儿戏弄游丝[②]。

吴说傅朋书，于汴杭之际[③]，实为巨擘。其墨迹虽未传长篇大轴之作，但一脔知味[④]，亦足以见其书学之深焉。

真书以独孤兰亭后跋焚余一段为最精[⑤]，字若蝇头，笔如蚊脚。而体作钟繇，雅有六朝之韵。若世传黄素本黄庭内景经[⑥]，至有赞为杨许群真遗墨者[⑦]，以视此烬里数行，殆不中作傅朋之鸡犬焉[⑧]。得其妙者，惟倪瓒云林[⑨]，赏音必有颔余斯言者。

行书手札，流传不及十通[⑩]，字字精妙，遂谓之为有血有肉之阁帖[⑪]，具体而微之羲献，宁为过誉乎？

傅朋又创游丝书，有所书王介甫诗一卷，纯用笔尖，宛转作联绵大草，此非故意炫奇，实怀素自叙之更进一步[⑫]。夫毫尖所行，必其点画之最中一线，如画人透衣见肉，透肉见骨，透骨见髓，其难盖将百倍于摹画衣冠向背也。

闻西安唐乾陵碑上有傅朋题名大字[13]，至今未获寓目焉。

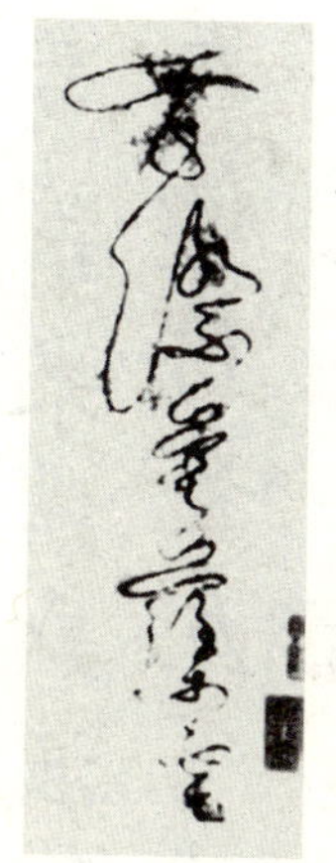
宋吴说游丝书

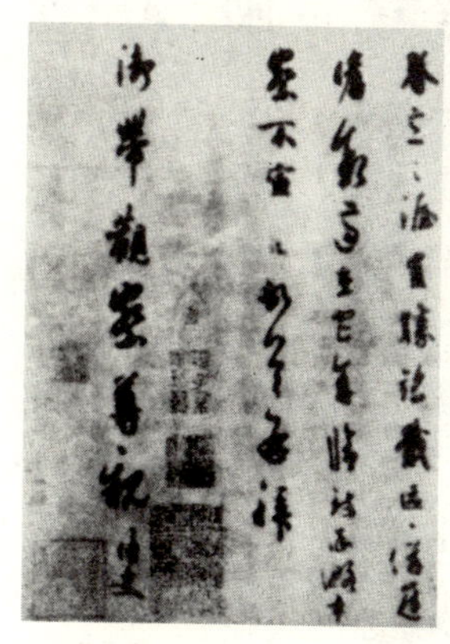
吴说尺牍

[注释]

① “不是”句：见第七○首注②引东坡语。此处称赞傅朋（吴说）书法造诣之高已达到非羲即献的地步。

② 游丝：即游丝书，游丝体。

③ 汴杭之际：北宋南宋之际。

④ 一脔知味：即“尝一脟肉，而知一镬之味，一鼎之调”。(《吕氏春秋·察今》)

⑤ 独孤兰亭：独孤和尚所藏的真定武本兰亭序，后将此送给赵孟頫，赵有题跋。 焚余一段：与下文“烬里数行”皆指被火烧后所剩的一块。

⑥ 黄素本：写于黄绢上的。

⑦ 杨：杨羲。 许：许询。 群真：群仙。

⑧ “殆不中”句：意谓连作傅朋的鸡犬都不配。传说汉淮南王刘安修炼成仙后，把剩下的药撒在院子里，鸡狗食后，也都随他升天。

⑨ 倪瓒云林：倪瓒字元镇，号云林，元代书画家。

⑩ 通：件、事。

⑪ 有血有肉之阁帖：有生气的阁帖。阁帖因是石刻多显得死板。

⑫ 自叙：《自叙帖》。参见第五三首。

⑬ 乾陵：唐高宗的陵墓。 乾陵碑：武则天所立。

黃華米法盛波瀾任趙椽毫仰大觀太白仙詩題尾富中州書勢過臨安

七二

黄华米法盛波澜[1]，任赵椽毫仰大观[2]。

太白仙诗题尾富[3]，中州书势过临安。

王庭筠、任君谟、赵秉文，皆金源之大手笔。庭筠自号黄华老人，其书全宗米法，如涿州之蜀汉先主庙碑[4]，博州之州学碑记[5]，皆沉重之中饶生动之致。以视米氏丰碑，如芜湖县学记者，毫无多让，其墨迹若幽竹枯槎图题尾、风雪杉松图题尾等，以书品称量，俱应在神逸之间。

任君谟有石刻杜诗古柏行，久为世人误目为颜鲁公笔。又书韩昌黎秋怀诗，天真烂漫，实得力于周子发[6]，怀素律公帖后周跋可证也。

赵秉文，所传较少，而赤壁图后和坡韵一词，淋漓顿挫，妙运方圆于一冶[7]，略后惟耶律楚材真书巨卷足相媲美。

他若苏书太白仙诗卷后诸跋，备有蔡松年、蔡珪诸家之迹[8]，皆一代文献，不徒笔法之美，而江左书风，张即之外[9]，俱未有能追者矣。

[注释]

① 黄华米法：王庭筠之书宗法米元章。
② 椽毫：如椽大笔。 大观：洋洋大观。
③ “太白”句：见第六六首。
④ 涿州：今河北省涿县。
⑤ 博州：今山东省聊城。
⑥ 周子发：周越，见第六四首。
⑦ 一冶：一炉。
⑧ 蔡松年、蔡珪：父子二人皆为金代诗人。
⑨ 张即之：南宋书法家，号樗寮。

金王庭筠幽竹枯槎图跋

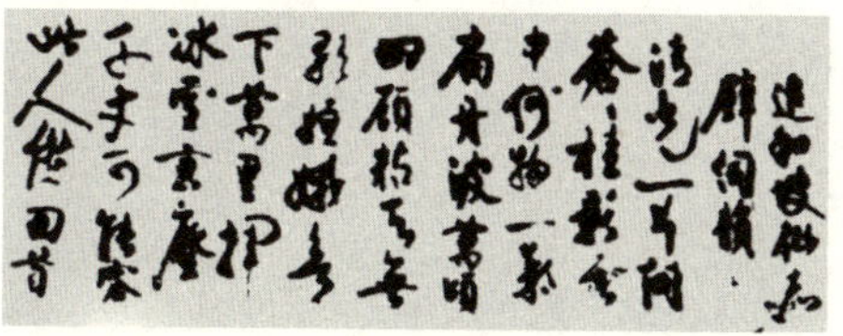

赵秉文书

任君谟书

破的穿楊射藝精賞音還在聽弦聲漁陽筆外無餘韻難怪漚波擅盛名

七三

破的穿杨射艺精[①]，赏音还在听弦声。

渔阳笔外无余韵[②]，难怪沤波擅盛名[③]。

鲜于枢。

渔阳之书，早岁仍沿南宋之体，但观其独孤本兰亭跋及颜鲁公祭侄稿跋[④]，可见一斑。此类笔迹容或不尽出早年，以其跋古法书，未免矜持，遂少挥洒之趣耳。

其最胜者，推行草大字，今传世真迹若书东坡定慧院海棠诗、昌黎石鼓歌、少陵行次昭陵诗等，俱称上选，寸余行书，亦有数本，惟小楷余未曾见。

综而观之，无论字之大小，体之行草，莫不谨慎出之。点画似有定法，结字亦尽庄严，极少任情挥斥之笔。观其答人问书之语，曰胆胆胆[⑤]。乃知其所自勉者在此，而其不足者亦必在此。

白香山云："劚石破山，先观铲迹；发矢中的，兼听弦声。"[⑥]如此机锋，恰通书理。崔季珪容仪何若，今固不知，惟其代帝，必危坐正襟，此恰为使者识破处也[⑦]。

[注释]

① 的：靶子。

② 渔阳：鲜于枢为渔阳人。

③ 沤波：赵孟頫，家有“沤波亭”，故称。赵与鲜于枢在当时为齐名的书法家。

④ 独孤本兰亭：参见第七一首。颜鲁公祭侄稿：参见第四九首。

⑤ “观其”句：此事记载见于元人陈绎曾《翰林要诀》。其书有一则专讲写字时要“悬腕”，曾引鲜于枢说悬腕书写要“胆，胆，胆”。

⑥ “劚（zhú）石”四句：见白居易《和微之诗二十三首序》。意谓通过对方的来信，看透对方的用意。劚：通“斸”，挖掘，砍，斫。

⑦ “崔季珪”五句：曹操接见匈奴来使，自以为形陋不足以雄远国，使崔季珪代，自己捉刀立床头。会见完毕，使人问匈奴使：“魏王何如？”使答：“魏王雅量非常，然床头捉刀人，此乃英雄也。”（见《太平御览》卷四四四，《世说新语·容止》）

元鲜于枢书兰亭跋残本

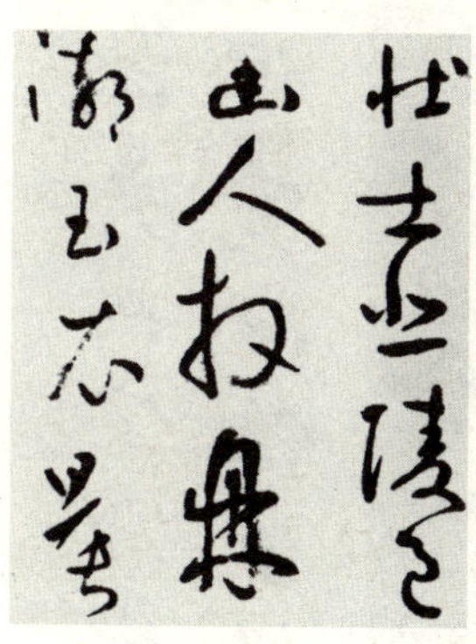

鲜于枢书杜诗

绝代天姿學力深吳興字欲擬精金纖
毫滲漏無容覓但覺微餘愛好心

七四

绝代天姿学力深，吴兴字欲拟精金[①]。
纤毫渗漏无容觅[②]，但觉微馀爱好心[③]。

赵孟頫书，承先启后，其开元明以来风尚处，人所易知易见；其承前人之规范，而能赋予生气处，则人所未多察觉也。盖晋唐人书，至宋元之后，传习但凭石刻，学人摹拟，如为桃梗土偶写照[④]，举动毫无[⑤]，何论神态。试观赵临右军诸帖，不难憬然而悟其机趣[⑥]，其自运简札之书，亦此类也。至于碑版之书，昔人视为难事。以其为昭示于人也，故体贵庄严，而字宜明晰。往往得在整齐，失在板滞。赵氏独能运晋唐流丽之笔，于擘窠大字之中，此其所以尤难逮及者也。

惟其论书之言曰："书法以用笔为上，而结字亦须用功。"殊未知其书之结字[⑦]，精严妥帖，全自欧柳诸家而来，运以姿媚之点划，则刚健婀娜，无懈可击。苟有疏于结字而肖于点划者[⑧]，其捧心折腰[⑨]，宁堪寓目乎？"亦须用功"，未免易言之矣。

昔人论诗，病朱竹垞贪多[10]，王渔洋爱好[11]。吾谓赵书亦不免渔洋之病。然“三代以下惟恐不好名”[12]，爱好究胜于自弃者也。

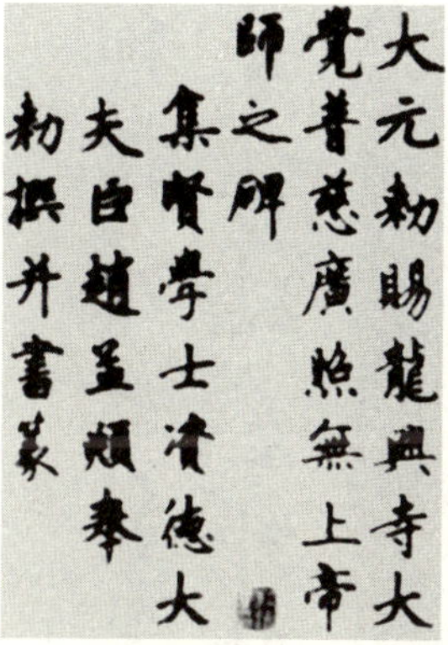

元赵孟頫书龙兴寺碑

赵孟頫书光福塔记

[注释]

① 吴兴：赵孟頫为吴兴人。

② 渗漏：破绽。

③ 爱好（hǎo）心：爱惜好名声之心。

④ 桃梗土偶：《战国策·秦策三》：“今者臣来，过于淄上，有土偶人与桃梗相与语。”后比喻任人摆布的傀儡。

⑤ 举动毫无：没有丝毫自己的动作。

⑥ 憬然：恍然醒悟。

⑦ “殊未知”六句：意谓赵孟頫的书法在结字上全学欧柳，而又加上自己姿媚的点划。

⑧ 肖：模仿得相似。

⑨ 捧心：即东施效颦。 据《庄子·天运》：相传春秋时美女西施有心痛病，经常捧心皱眉。邻居有丑女认为西施这个动作很美，便效仿她，反而显得更丑。折腰：妖孽貌。据《后汉书·梁冀传》载，梁冀妻孙寿作愁眉，梳堕马髻，走路作“折腰步”，《五行志》称其为“服妖”。

⑩ 朱竹垞：朱彝尊。

⑪ 王渔洋：王士禛。爱好（hǎo）： 爱惜声名。

⑫ 不好（hào）名：不喜好声名。

细楷清妍弱自持五言绝调晚唐诗平
生每踏燕郊路最憶金臺廼易之

七五

细楷清妍弱自持[①]，五言绝调晚唐诗。

平生每踏燕郊路[②]，最忆金台廼易之[③]。

廼贤，字易之，姓合鲁氏，合鲁又作葛逻禄，译言马[④]，故或称马易之，元代色目人也[⑤]。诗集曰《金台集》。

世传其南城咏古一卷，皆五言律诗，格高韵响，宛然唐音，载在集中。所咏皆大都城南诸胜[⑥]，大抵在今京师西南城内外一带。如悯忠寺为今法源寺[⑦]，在广安门内。妆台、西华潭为今琼岛及太液池，则已阑入城中，于金则属城北，然则所谓南城[⑧]，实以代指金都耳。其余诸胜，皆已渺不可寻。

此卷墨迹刻入三希堂帖，书风在赵松雪、张伯雨、倪云林之间[⑨]。余既爱诵其诗，好临其字，尤重其为色目人之深通中原文化者。其墨迹风采，每萦于梦寐中。一日忽得其原卷照片，喜极若狂，宝之不啻头目脑髓。或笑谓余曰，此照片耳。应之曰，子试寻第二本来！字迹疏朗，工整之中饶有逸致，信乎诗人笔也。[⑩]

［注释］

① 自持：自我克制，自守。

② “平生”句：作者自谓。

③ 廼易之：廼（廼同乃）贤，字易之。南阳人，卜居于鄞（今浙江宁波市），与韩与玉、王子充合称江东三绝，曾任东湖书院山长，翰林编修。

④ 译言马：意译为“马”。

⑤ 色目人：元代将中国人分为四等，即蒙古人、色目人、汉人、南人。钦察、回回、唐兀、斡罗思等外族诸姓称为色目，地位次于蒙古，优于汉人。

⑥ 大都：即今之北京。

⑦ 法源寺：现中国佛学院所在之地。

⑧ 所谓南城：指金朝旧都城，约在现北京市区西南一带。

⑨ 赵松雪：赵孟頫。　张伯雨：名雨，字伯雨，道士。　倪云林：倪瓒。

⑩ 作者自注：妆台、西华潭皆非今北京中琼岛，此处有误。

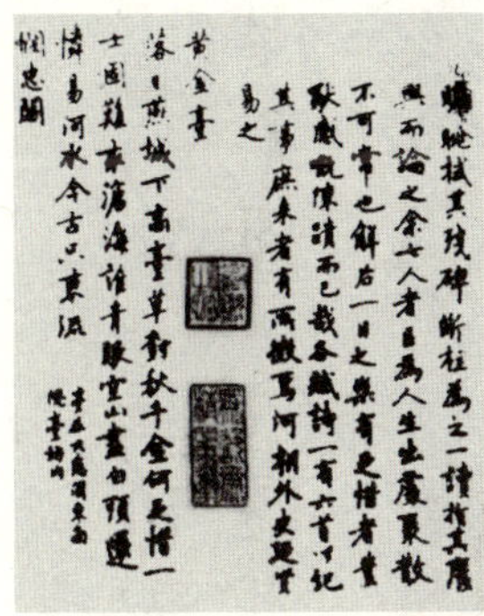

廼贤书南城咏古

有元一世論書派妍媸莫出吳興外要知豪傑不因人尚有倪吳真草在

七六

有元一世论书派，妍媸莫出吴兴外[1]。

要知豪杰不因人[2]，尚有倪吴真草在。

倪瓒、吴镇。

论书法于古人，唐如欧虞，宋如苏黄，可谓杰出冠代，而唐宋两朝书人风习，固不尽出欧虞苏黄也。惟元则不然，赵松雪出，天下从风，虽其同侪，俱受熏染，无论其兄弟子孙，门生故吏矣。元人之不为松雪所囿者，屈指计之，仅五六人：周草窗天水遗民[3]，字迹亦仍宋派，似金荪壁[4]，而逊其工整。冯子振字欹斜[5]，全未入矩。杨铁崖不中绳墨[6]，有不能工整处，亦有故意欹斜处。书法行家，惟柯丹丘、倪云林、吴仲圭而已[7]。

云林全法六朝，姿媚寓于僻涩之中；仲圭草法怀素[8]，质朴见于圆熟之外。且倪不作草，吴不作真，而豪情古韵，俱非松雪所得牢笼，热不因人[9]，所以无忝其为高士也。

柯、倪、吴俱以书笔作画，亦以画笔作书，其机趣之全同，亦松雪所未能者。松雪虽有“须知书画本来同”之句，顾其飞白木石，与书格尚不能一[10]，无论其他画迹，此亦书画变迁中一大转折处[11]。

元倪瓒书

[注释]

① 吴兴：指赵孟頫。

② 因人：因袭别人。

③ 周草窗：周密，号草窗，著名词人。

④ 金荪璧：金一之，南宋人，贾似道门客。

⑤ 冯子振：字海粟。元文宗时大长公主（皇帝之姑）所藏字画多有冯子振题跋。

⑥ 杨铁崖：杨维桢，号铁崖，元代著名诗人。不中绳墨：不守规矩。

⑦ 柯丹丘：柯九思。吴仲圭：吴镇。

⑧ 草法：草书师法。

⑨ 热不因人：即“不因人热”。《东观汉记·梁鸿传》：“（梁鸿）常独坐止，不与人同食。比舍先炊已，呼鸿及热釜炊。鸿曰：‘童子鸿不因人热者也！’灭灶更燃火。”意谓不借助别人现成的优势而另起炉灶。

⑩ “顾其”二句：谓赵孟頫常用枯笔画树、石，这些画常带有“飞白”（枯笔未着墨之处）的效果，但他的字却写得很圆润。

⑪ “此亦”句：意谓赵孟頫虽说过“书画本来同”之语，但他的书与画却不相同；柯、倪、吴虽未说过书画本同之类的话，但他们的书与画风格机趣却完全一样，这种现象可谓书画变迁中的一大转折。

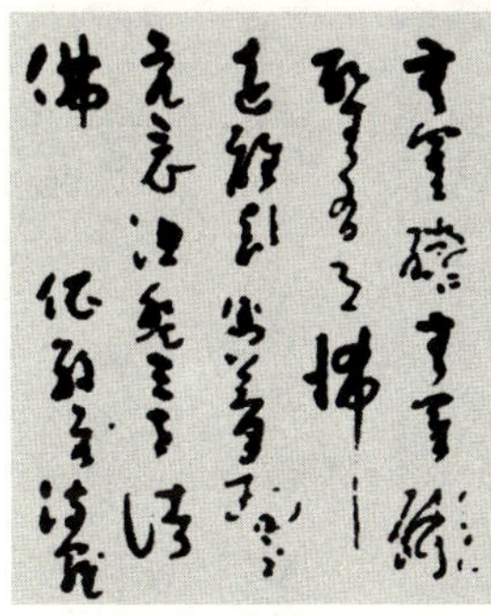

元吴镇草书心经

唐摹陸搨各酸醎識小生涯在筆尖只
有牛皮看透處賊毫一折萬華嚴

七七

唐摹陆拓各酸咸[①]，识小生涯在笔尖[②]。
只有牛皮看透处[③]，贼毫一折万华严[④]。

元人陆继善字继之，曾以鼠须笔钩摹唐摹兰亭。其本刻入三希堂帖。自跋云曾拓数本，散失不存，其后有人持其一本来，因为跋识云云。昔曾见其原本[⑤]，笔势飞动，宛然神龙面目[⑥]。纸色微黄，点画较瘦。其跋语之书，尤秀劲古淡，在倪云林、张伯雨之间。明人陈鉴字缉熙，得一墨迹本，号为褚摹[⑦]。后有米元章跋，曾以刻石，世号陈缉熙本。是褚非褚，屡遭聚讼，甚至有谓其前墨迹本即陈氏所摹者[⑧]。

廿年前其卷出现于人间[⑨]，墨迹兰亭[⑩]，纸质笔势，乃至破锋贼毫，与陆摹本毫无二致，其上陈氏藏印累累，米跋虽真，但为他卷剪移者。始恍然此盖陆氏所摹，殆散失各本中之一本也。安得起覃溪老人于九原[⑪]，一订其《苏米斋兰亭考》，一洗陈缉熙不虞之誉也[⑫]。

昔药山惟俨禅师[⑬]，戒人看经，而自看之。或以为问，俨曰："老僧止图遮眼，若汝曹看，牛皮也须透。”仆之细辨兰亭，自笑亦蹈看透牛皮之诮矣。

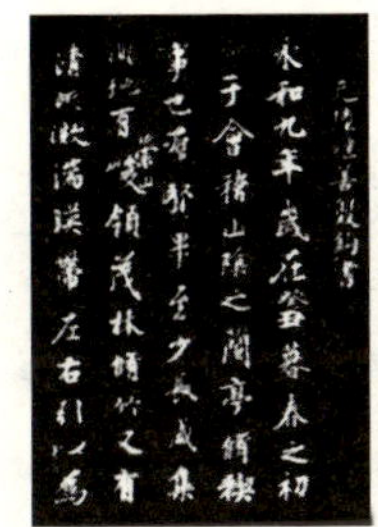

三希堂刻元陆继善双钩兰亭帖

[注释]

① 唐摹：唐摹本《兰亭序》。陆拓：陆继善拓本《兰亭序》。各酸咸：各有特色。

② “识小”句：意谓钩摹者必注意微小之处。识小：《论语·子张》：“贤者识其大者，不贤者识其小者。”笔尖：与下面的“贼毫”相呼应。

③ 牛皮看透：参见文中最后一段。意谓勾摹者的注意力几乎有如要看透牛皮一样。惟俨所说的“止图遮眼”，意谓不在意具体处，只是姑且一观。他批评的“牛皮也须透”，意谓只盯住了书中的具体处，沉陷其中不能自拔。按：作者曾根据禅宗的有关公案刻过三方印，并用于鉴定上。一枚曰“撞破钟楼”。禅宗谓人之头为钟楼，撞破钟楼意谓虔诚地顶礼膜拜。此印用来肯定、称赞该作品为最高境界。一枚曰“只图遮眼”，意谓此作品还值得姑且一看。一枚曰“看穿牛皮”，意谓只有某些局部小处可观，且对它早已看透看穿，认为这是低境界。三语出处皆见《景德传灯录》。

④ 贼毫：笔毛多出不该多出的一叉。按：陆拓本的“暂”字在“足”字处出现了“破锋贼毫”。一折：一折弯处。万华严：无数华丽的装饰。此句承上，意谓：在某一笔处出现贼毫本来是很普通的现象，但因为抱着“牛皮看透”的钻牛角尖的态度，就觉得这一笔里包含着无限奥妙似的。这都是只识其小的表现。

⑤ 原本：即文中“其后有人持其一本来”的那一本。

⑥ 神龙：唐中宗李显神龙年间（705—707）所钩摹的神龙本《兰亭序》。现藏于故宫博物院。

⑦ 褚摹：褚遂良摹本。

⑧ “甚至”句：甚至有人说前边的墨迹根本不是褚摹，而是陈鉴自己所摹。

⑨ 其卷：指陈缉熙本。

⑩ 墨迹兰亭：即前文所说的“得一墨迹”，指摹本的原卷，而非后来的刻石本。

⑪ 覃溪：翁方纲。其书斋墙上有摹苏东坡、米元章字二石，故名为“苏米斋”。又翁方纲曾作过《兰亭考》，对陈缉熙本大费考据。

⑫ 不虞之誉：没有料到的、不应得到的荣誉。因为此本本来是陆继善本。

⑬ 药山惟俨禅师：因住澧州（今湖南澧县）药山，故称。曾先后参礼石头希迁和马祖道一而悟法要，法席很盛。

叢帖三希字萬行继之一石獨凋傷恰
如急景瀟湘館贏得詩人吊古忙

七八

> 丛帖三希字万行[1]，继之一石独凋伤[2]。
> 恰如急景潇湘馆[3]，赢得诗人吊古忙[4]。

友人周君敏庵，最好《红楼梦》，尤爱陆摹兰亭。得三希堂帖本，把玩不释手。一日游北海，登阅古楼，盖三希堂帖石所在。遍观诸石，或完或损，而陆摹兰亭一石，独剥蚀最甚。怒焉悼之[5]，赋诗见示，因拈此首答之。急景潇湘，红楼故实，谬蒙敏庵激赏，殆以其本地风光也[6]。

陆摹墨迹本，四十余年前，曾于故宫见之，当时世传影印本，只见二页，以三希石刻详校之，则利钝迥殊。夫帖刻失真犹得使人爱赏如此，则陆拓之妙，直媲唐人，何怪陈缉熙之直仞为褚摹也[7]！

石渠宝笈所藏法书，几历劫波，如今次第重出，而影印之本亦略备。虽间有毁佚，顾视靖康之际，三馆所储[8]，殆有深幸者矣。今陈本已有精印单行之本，计三希陆本之普门示现[9]，当亦不远。

[注释]

① 丛帖三希：即《三希堂帖》。

② 继之一石：刻有陆继善（继之）摹本的那块刻石。参见上首。

③ 急景潇湘馆：《红楼梦》中林黛玉住于潇湘馆，但林黛玉生命短促，倏忽而过，故称。此句是说陆摹《兰亭》那块石头剥蚀得最严重、最快，其命运如林黛玉一样。

④ “赢得”句：诗人指“友人周君敏庵”，即周汝昌，红学专家，借用他对林黛玉的凭吊来形容作者对陆摹刻石的凭吊。

⑤ 惄（nì）焉：忧思、忧伤。

⑥ 本地风光：合于其人其事的情景。

⑦ 直仞：直认。“仞”通“认”。

⑧ 三馆所储：谓靖康之乱时，北宋三馆所藏之书画大部分毁于战火。三馆：宋代内府藏书画处。

⑨ 计：料想。 三希陆本：指三希堂所收的陆继善的墨迹本。 按：此本在日本已有影印本。 普门：佛教语。谓普摄一切众生的广大圆融的法门。 普门示现：形容通行天下，广为流传。

陆继善双钩兰亭帖

昔我全疑帖与碑怪他毫刃總叅差但
從燈帳觀遺影黑虎牽来大可騎

七九

昔我全疑帖与碑，怪他毫刃总参差[①]。
但从灯帐观遗影[②]，黑虎牵来大可骑[③]。

此亦答周君敏庵之作。

敏庵既酷爱陆拓兰亭，获三希堂刻本，已惊其神妙，及见影本二页[④]，乃憾石刻之失真。然当时影印者尚无足本，全豹仍资石刻，故拈此以慰之。

仆于石刻，见解亦尝数变。早岁初见唐碑，如醴泉铭、多宝塔碑等[⑤]，但知其精美，而无从寻其起落使转之法。继得见唐人墨迹，如敦煌所出，东瀛所传，眼界渐开，又复鄙夷石刻。迨后所习略久，乃见结字之功，有更甚于用笔者，故纵刊刻失真，或点划剥蚀，苟能间架尚存，亦如千金骏骨，并无忝于高台之筑[⑥]。即视作帐中灯下之李夫人影，亦无不可也。

昔人于石刻拓本，贵旧贱新，一字之多少，一划之完损，价或判若天渊，而作伪乱真，受欺者众，故有黑老虎之目。而善学者，固不争此。赵松雪云："昔人得古刻数行，专心学之，便可名世"，信属知言。

[注释]

① 毫：指帖，墨迹原本。 刃：指碑，刻本。

② “但从”句：参见第六一首注⑫。

③ 黑虎：好拓本价值较昂，故用“黑虎”噬人相比。此处专指石刻拓本，参见最后一段。此句与上句意谓，原来比较看轻刻本，现在觉得只要善于领会刻本，从刻本中想象墨迹的神采，刻本仍是可珍贵的。

④ 影本二页：参见上首文中第二段。

⑤ 醴泉铭：欧阳询所书。 多宝塔：颜真卿所书。

⑥ “亦如”二句：事见《战国策·燕策》。燕昭王准备延揽贤才，郭隗说不如先从礼聘我开始，并讲了一个故事，说古代一个君王用千金买千里马，后得一死千里马，用五百金买下马骨。人们听说后，纷纷献千里马而至，不到一年，得三四千里马。昭王听从了郭隗的意见，筑高台重聘郭隗，后乐毅等名将果然纷纷来投昭王。

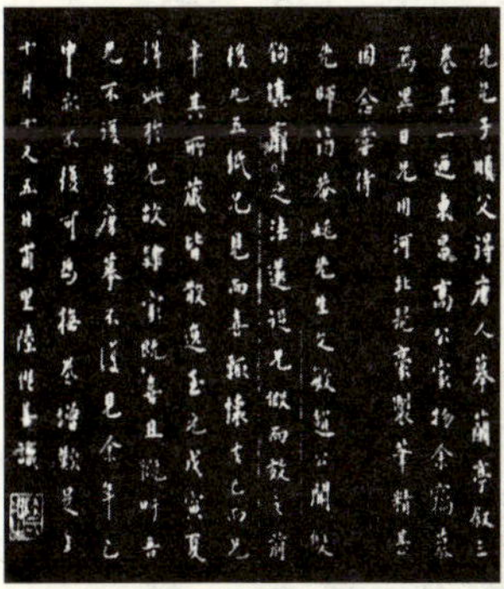

陆继善双钩兰亭帖跋

七姬誌裏血模餬片石應充抵雀珠孤
本流傳餘罪證徒留遺恨仲溫書

八十

七姬志里血模糊，片石应充抵雀珠[1]。

孤本流传馀罪证[2]，徒留遗恨仲温书[3]。

七姬权厝志者[4]，潘元绍家七妾骈死藁葬之墓志也[5]。张羽撰文，宋克书丹，卢熊篆盖[6]。

潘元绍为张士诚婿[7]，士诚势蹙，元绍出兵败绩，归家逼其七妾同死。焚其尸而共瘗一冢，作此志铭。其文首称“七姬皆良家子”，以下称七姬之美姿容，识礼义，感主恩，愿同死等等，悉冠以“皆”字，一似田横义士[8]，重见于巾帼；秦穆三良[9]，犹逊其慨慷。张宋诸贤，当时之巨子，元绍杀妾后，尚有暇为此，而三贤执笔，莫敢或违。其视七姬之骈颈就缢，相去仅一息之有无耳[10]。文人生丁乱世，不得不就人刍豢，及其栈厩易主，终不能自获令终[11]。若张宋诸人，复见胁于於皇寺僧以死[12]，其尤可哀者矣。

此志原石传本极少，所见仅有二本，其一尚出翻摹。且拓墨模糊，展观令人想见七姬血肉，吾转恨世间有此二本之存也。虽然，煌煌史册，不诬有几，留此数行，以为殷鉴可乎[13]？

[注释]

① 七姬：潘元绍的七位姬妾。片石：谓七姬志墓石。 抵雀珠：以珠击鸟。全句意谓真应该把七姬志墓石击碎用它来当弹子打鸟。

② 孤本：即文中所说“所见仅有二本，其一尚出翻摹”。 馀罪证：流传下潘元绍迫害姬妾的罪证。

③ “徒留”句：意谓宋克为这样的墓志书册也只能留下遗恨。仲温：宋克字仲温。

④ 权厝（cuò）：浅埋以待改葬。

⑤ 藁（gǎo）葬：用草席包裹草草埋葬。

⑥ 张羽、宋克、卢熊：原为张士诚、潘元绍集团之人，明朝建国后，前二人皆被逼而死，卢熊则下落不明。 篆盖：见第五九首注⑦。

⑦ 张士诚：元末起义军领袖之一。

⑧ 田横义士：田横为秦末人，据齐地为王。刘邦称帝后，不奉诏而自杀，手下五百人亦皆自杀。

⑨ 秦穆三良：秦穆公时的奄息、仲行、鍼虎。据说穆公死后，三人亦自杀殉葬。一说三人是被穆公所杀而陪葬。

⑩ “相去”句：意谓三贤也是被逼撰文、书丹、篆盖，如不相从也可能被杀，故他们的命运与七姬相差无几。

⑪ 令终：好结果。参见注⑥。

⑫ 於（wū）皇寺僧：指朱元璋，他当年曾在於皇寺出过家。

⑬ 殷鉴：泛指前代的教训。

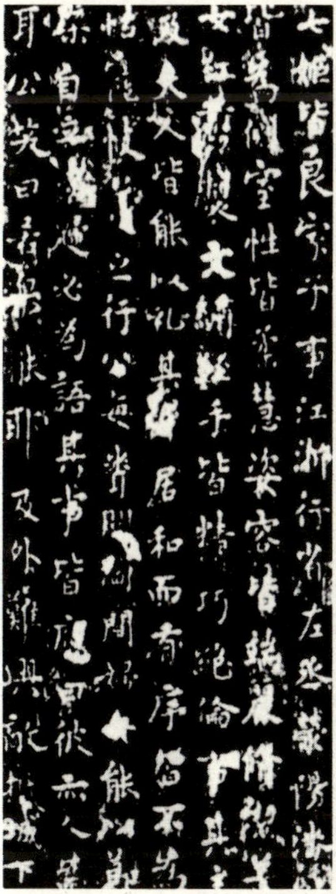

明宋克书七姬志

黃庭畫讚惟糟粕面目全非點畫訛希
哲雅宜歸匍匐宛然七子學鐃歌

八一

黄庭画赞惟糟粕，面目全非点画讹。

希哲雅宜归匍匐[1]，宛然七子学铙歌[2]。

黄庭经、东方朔画像赞、乐毅论等小楷帖，先不论其是否王羲之书，即其摹刻之馀，点画形态，久已非复毛锥所奏之功[3]。以其点画既已细小，刀刃不易回旋，于是粗处仅深半黍，而细处不逾毫发。迨捶拓年久，石表磨失一层，于是粗处但存浅凹，而细处已成平砥。及加蜡墨，遂成笔笔相离之状。譬如“入”字可以成“八”，“十”字可以成“卜”。观者见其斑剥，以为古书本来如此，不亦傎乎[4]。

明人少见六朝墨迹，误向世传所谓晋唐小楷法帖中求钟王，于是所书小楷，如周身关节，处处散脱，必有葬师捡骨，以丝絮缀联，然后人形可具[5]。故每观祝希哲小楷，常为中怀不怡[6]。而王雅宜画被追摹，以能与希哲狎主齐盟为愿，亦可悯矣[7]。

汉铙歌声词淆乱，至不成语，而明人盲于佞古，竟加仿效。石刻模糊，书家亦囫囵临写。风气所关，诗书无异也。

[**注释**]

① 希哲：祝允明字希哲。 雅宜：王宠字雅宜。二人皆为明代著名书画家，与文徵明并称“吴中三大家”。 归匍匐：《庄子·秋水》记，有一燕国人到赵国邯郸，看到那里人走路姿态很美，就跟着学，结果不但没学会，连自己原来怎么走路也忘了，只好爬着（匍匐）回去了。

② 七子：明代有前后“七子”，其诗多沿袭模拟前代。 《铙歌》：宋郭茂倩《乐府诗集》将古乐府诗分为十二类，其中一类叫《鼓吹曲辞》，中收汉代《铙歌》若干首。“声辞相杂”，难以确解，但“七子”作乐府专学这类作品，纯属生搬硬套。

③ 毛锥：毛笔。

④ 傎（diān）：荒唐。

⑤ “必有”三句：谓改葬时的情景。改葬时，要请专门捡骨的师傅（葬师）来辨别骨骼，将其拼凑在一起，用线拴上，装匣待葬。

⑥ 中怀不怡：心中不舒服。

⑦ “而王雅宜”三句：王宠病中还常用手在被子上画字摹字，且以祝京兆（祝允明）许我“狎主齐盟”——同作盟主为荣。

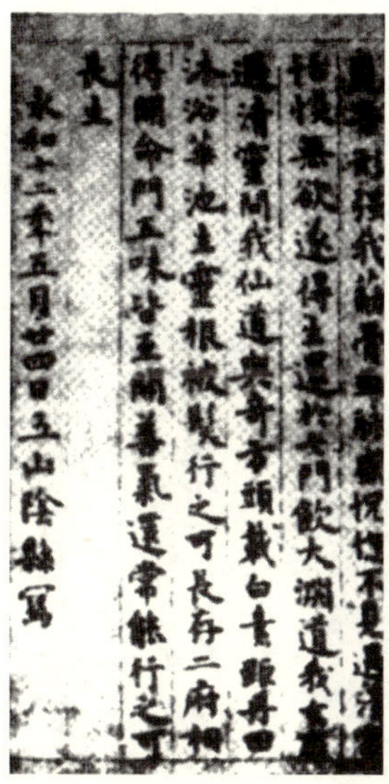

明祝允明小楷书

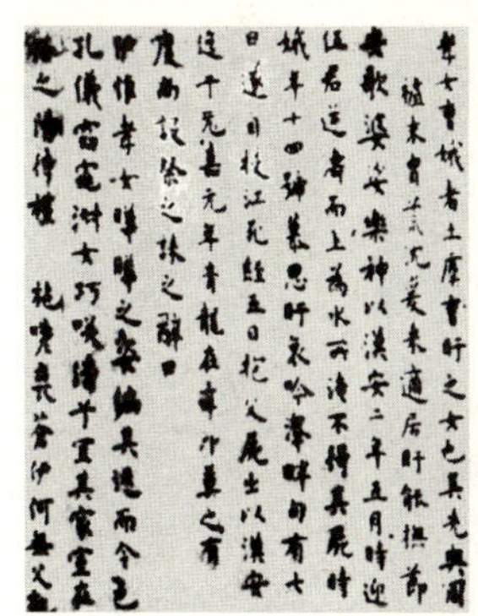

明王宠小楷书

無今無古任天真舉重如輕筆絕塵何事六如常耿〻功名傀儡下場人

八二

无今无古任天真，举重如轻笔绝尘。

何事六如常耿耿[1]，功名傀儡下场人[2]。

唐寅。

明贤书，追乎中叶，旌旗始变。其初二沈及台阁诸老[3]，循规蹈矩，未见新意。

祝允明出，承徐有贞、李应祯之绪[4]，略轶藩篱，未成体段。文徵明于书有识有守[5]，功力深而年寿富，独立书坛，几与赵子昂相埒[6]。其天资人力，如五雀六燕[7]，铢两无殊，信手任意之笔，不屑为，亦不能为也。

惟六如居士，以不世之姿，丁弥天之厄，抑塞磊落，雄才莫骋[8]。发之翰墨，俱见跅弛不羁之致[9]。其于书，上似北海[10]，下似吴兴[11]，以运斤成风之笔[12]，旋转于左规右矩之中。力不出于鼓努，格不待于准绳，而不见其摹古线索。天赋之高，诚有诸贤所不可及者。

科名得失，于六如何所损益？而“南京解元”一印，屡见高钤[13]；名场失意之诗，累形低咏。傀儡下场，即其自嘲之句，亦可叹也。

[注释]

① 六如：唐寅自号六如居士。取自《金刚经》：“一切有为法，如梦幻泡影。如露亦如电，当作如是观。”

② “功名”句：唐寅诗中之句，意谓功名如傀儡，是早该下场的人。

③ 二沈：沈度、沈粲。沈度平时不写草书，沈粲平时不写楷书。二人为明代盛行一时的“台阁体”的代表。

④ 徐有贞：祝允明外祖父。李应祯：祝允明丈人。

⑤ 文徵明：明代著名书画家。学文于吴宽，学书于李应祯，学画于沈周，世称其书画兼有赵孟頫、倪瓒、黄公望之长。享年九十岁。

⑥ 赵子昂：赵孟頫。相埒（liè）：相等同。

⑦ 五雀六燕：语出《九章算术·方程》，意为五只雀与六只燕重量相等，后用以比喻两者轻重相等，且常和“铢两（重量）无殊”连用。

⑧ “丁弥天”三句：唐寅本考上南京解元，但遭人诬告，以至功名被毁。 丁：生平遭遇。

⑨ 跅（tuò）弛：放荡不羁。

⑩ 北海：李北海，即李邕。

⑪ 吴兴：赵孟頫。

⑫ 运斤成风：挥斧成风声。形容技术高妙。《庄子·徐无鬼》：“郢人垩慢其鼻端，若蝇翼，使匠石斫之，匠石运斤成风，听而斫之，尽垩而鼻不伤。”

⑬ 屡见高钤：常于字画迎首处打上“南京解元”的印。

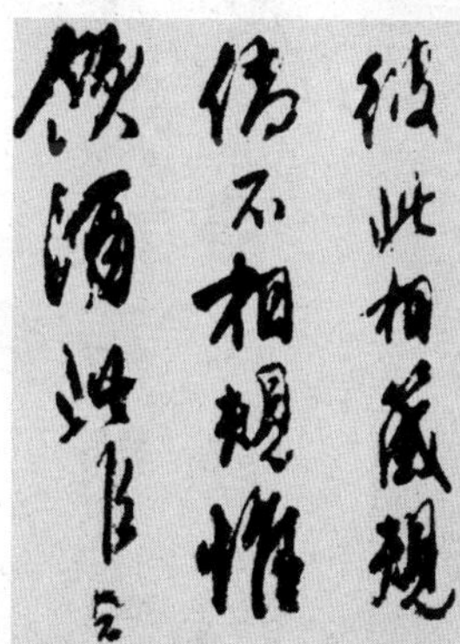

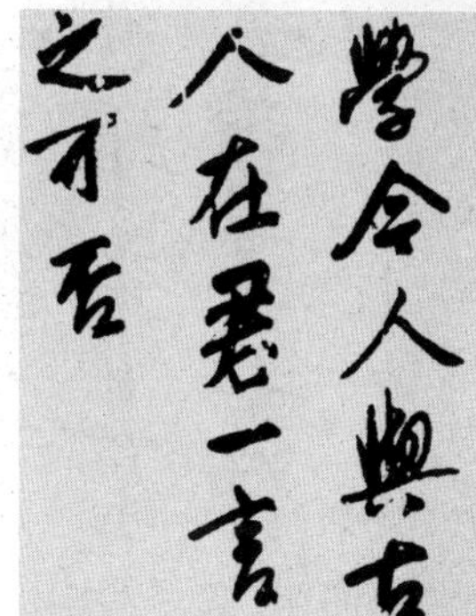

明唐寅自书诗卷

憨山清後破山明五百年来見幾曾筆
法晉唐原莫二當機文董不如僧

八三

憨山清后破山明[1]，五百年来见几曾。

笔法晋唐原莫二，当机文董不如僧[2]。

憨山德清，破山海明。

先师励耘老人每诲功曰[3]，学书宜多看和尚书。以其无须应科举，故不受馆阁字体拘束，有疏散气息。且其袍袖宽博，不容腕臂贴案，每悬笔直下，富提按之力。功后获阅法书既多，于唐人笔趣，识解稍深，师训之语，因之益有所悟。

明世佛子，不乏精通外学者[4]，八法道中，吾推清、明二老。憨山悬笔作圣教序体[5]，传世之迹，亦以盈寸行书为多。观其行笔之际，每有摇曳不稳处，此正袍袖宽博，腕不贴案所致。而疏宕之处，备饶逸趣。破山多大书行草，往往单幅中书诗二句，不以顿挫为工，不作姿媚之势，而其工其势，正在其中。冥心任笔，有十分刻意所不能及者。余昔得破山一幅，书“雪晴斜月浸檐冷，梅影一枝窗上来”二句，以奉先师[6]。后得憨山书苦雨五律四首一卷，师已不及见矣。

[注释]

① 憨山清：即憨山德清，明代万历年间人。破山明：即破山海明，明末清初人。

② 当机：指在书法微妙处的比较。 文：文徵明。董：董其昌。

③ 励耘老人：著名史学家陈垣先生。

④ 外学：僧人将释典以外的学问称为“外学”。

⑤ 圣教序：怀仁集王羲之之字所成。参见第四二首。

⑥ 以奉先师：作者购得破山一幅后，拿给陈垣先生看，陈先生爱不释手，开玩笑说：“这是给我买的吧。”作者即此奉呈，并传为文坛佳话。

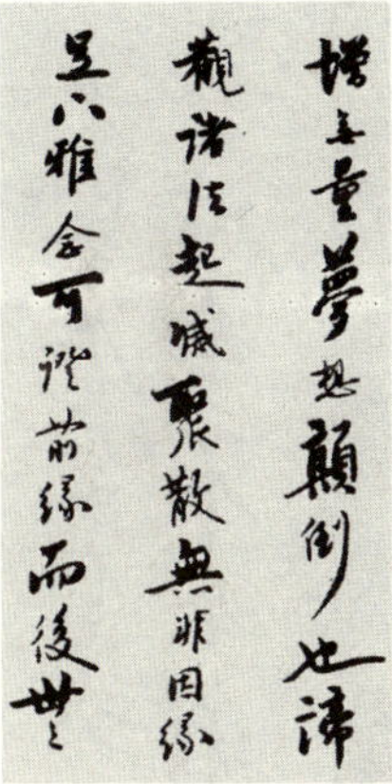

明僧德清书

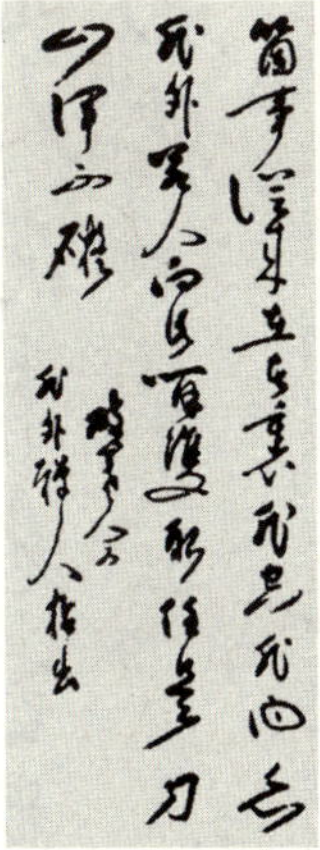

明僧海明书

鍾王逐鹿定何如此是人間未見書異代會心吾不忝參天兩地一朱驢

八四

钟王逐鹿定何如[1]，此是人间未见书[2]。

异代会心吾不忝[3]，参天两地一朱驴[4]。

八大山人书，早岁全似董香光，其四十余岁自题小像之字可见也。厥后取精用宏，胆与识，无不过人，挥洒纵横，沉雄郁勃，不佞口门恨窄[5]，莫由仰为赞喻！

大抵署传綮款时[6]，已渐趋方劲，所以破早岁香光习气也。署八大山人款后，亦有一时作方笔者，且不但字迹点画之方，所画花头树叶乃至鸟眼兔身，无不棱角分明，观之令人失笑。其胸襟之欲吐者，亦俱于棱角中见之。再后渐老渐圆，李泰和之机趣[7]，时时流露，而大巧寓于大拙之中，吾恐泰和见之，亦当爽然自失，能逮其巧，不能逮其拙焉。

世事迁流，书风递变。晚明大手笔，亦常见石破天惊之作。然必大声镗鞳，以振聋聩，不若山人之按指发光[8]。所谓“嬉笑之怒，甚于裂眦”者也。

山人署名，每自书“驴”、“屋驴”等[9]，从来未见自书“耷”字者。久之乃悟耷盖晚明时驴字之俗体，与古文之耷字无涉[10]。正如《西游记》夯汉之为笨汉，与夯土之夯无涉也。传画史者不忍直书马旁之驴，而转从俗作耳[11]。

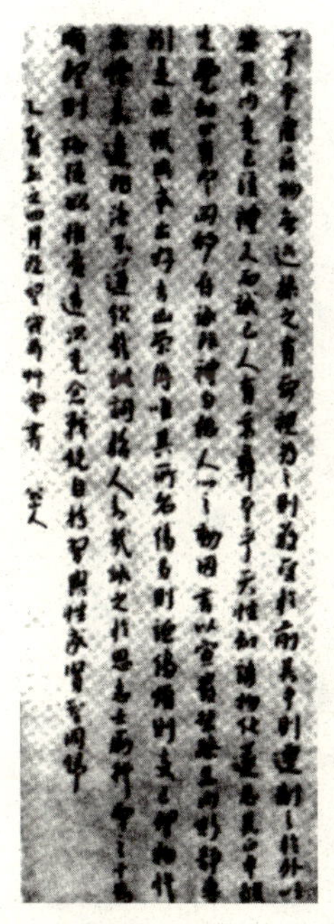

八大山人书

[注释]

① 钟王：钟繇、王羲之。 逐鹿：分出胜负高下。

② 人间未见书：谓八大山人的书法超过前人。八大山人，名朱耷，明朝宗室，明末清初著名书画家。

③ 异代会心：我与八大山人虽处异代，但我能成为其会心之人。

④ 参天两地：原为《易·说卦》之语，引申为人之德可与天地相比。朱驴：即朱耷，“耷”即“驴”的俗写字，详见文中最后一段。

⑤ 口门：嘴巴。

⑥ 传綮：为朱耷出家为僧时的法名。

⑦ 李泰和：李邕。

⑧ 按指发光：佛教有所谓佛指一按，海印发光之说，喻佛力之广大无边，功效之自然迅捷。海印者，喻大海风止波静，水澄清时，天边万象巨细无不印现海面。按：这几句意谓晚明能改变书坛状况之人都太费力，不如八大山人来得轻松自然。

⑨ 屋驴：八大山人还有一图章曰“驴屋人屋”，据作者推测，此处的“屋”当如《礼记·郊特牲》所云，作国家覆亡讲，所以“驴屋人屋”当作驴也亡国，人也亡国讲，当是明亡后所用。

⑩ 古文之耷：《玉篇·耳部》：“耷，大耳也。”作者认为在这里是清人不愿直呼朱驴，所以用此字来代替。见张庚《国朝画征录·八大山人传》。

⑪ 转从俗作耳：即写成俗写的 “耷”。此处的“耳”作句末语气词讲。

破陣聲威四海聞敢移舊句策殊勳王
侯筆力能扛鼎五百年來無此君

八五

破阵声威四海闻[1]，敢移旧句策殊勋[2]。
王侯笔力能扛鼎，五百年来无此君。

王铎。

昔人以“雄强”评右军书，而右军又为韩退之讥为“姿媚”。然则雄强固非剑拔弩张之谓，而姿媚亦非龋齿慵妆之谓也[3]。右军往矣，宗风所振，后世书人，得其一体，即足成家。究之能得姿媚者多，能得雄强者少也。

明季书学，阁帖之派复兴。大率振笔疾书，精神激越。四十年前赏鉴家塔式古丈[4]，名塔齐贤，字式古，曾教功曰：“明人笔，有所向无前之势”，可谓一语道破。观夫倪鸿宝、黄石斋、张二水、傅青主诸家[5]，莫不如是。如论字字既有来历，而笔势复极奔腾者，则应推王觉斯为巨擘[6]。譬如大将用兵，虽临敌万人，而旌旗不紊。且楷书小字，可以细若蝇头；而行草巨幅，动辄长逾寻丈，信可谓书才书学兼而有之，以阵喻笔[7]，固一世之雄也。

“王侯笔力能扛鼎，五百年来无此君”，倪云林题王黄鹤画之句[8]，吾将移以赞之。

[注释]

① 破阵声威：谓气势雄伟。北齐兰陵武王萧长恭勇冠三军，齐人作《兰陵王入阵曲》以壮之。

② 旧句：即下两句，倪瓒题王蒙画之语。　策殊勋：封赏其特殊功劳。

③ 龋齿慵妆：谓妇人故作姿态。参见七四首注⑨。龋齿：笑时以手掩嘴，好似患龋齿牙痛。慵妆：懒妆。

④ 塔式古丈：塔式古先生。　丈：对前辈的尊称。

⑤ 倪鸿宝、黄石斋、张二水、傅青主：即倪元璐、黄道周、张瑞图、傅山。皆为明末人。

⑥ 王觉斯：即王铎。

⑦ 以阵喻笔：以排兵布阵来比喻用笔。

⑧ 倪云林：倪瓒。　王黄鹤：王蒙。二人皆为元代画家。

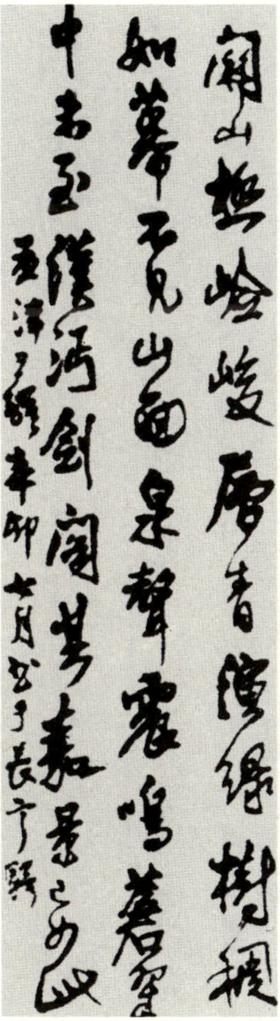

清王铎书

頭面頂禮南田翁畫家字說殊不公千金寶刀十五女極妍盡利將無同

八六

头面顶礼南田翁[①]，画家字说殊不公[②]。

千金宝刀十五女，极妍尽利将无同[③]。

南田翁恽寿平，生丁桑海之际[④]，崎岖戎马之郊。事迹谱于传奇[⑤]，节概标于信史[⑥]。一水一石，巍并西山；一草一花，香齐薇蕨[⑦]。数艺苑畸人于明末清初，惟八大山人与南田翁而已。

南田之画，以写生绝诣，攫造化之魂，所标徐、黄、赵昌等[⑧]，不过借掩俗人之口[⑨]。至其书法，实传家学，以视先德[⑩]，但见略加秀丽风韵。得力虞褚黄米[⑪]，取精用宏，而往哲精华[⑫]，无不资其炉冶。所谓六经皆我注脚[⑬]，此其所以为大手笔也。

流传题画稿本巨册，片语支词，胥先起草[⑭]，纵横修短，一一安排。乃知阮步兵之脱略礼法，转见其为至慎之人[⑮]。而翁之书笔，世人但观其秀丽，不知正是大道至柔[⑯]，得致婴儿之道也[⑰]。

每闻人评恽书，曰“画家之字”，一似仅足为丹青之附庸者，其谬妄自不待言。古乐府云：“千金买宝刀，悬著中梁柱。一日三摩挲，剧于十五女。”[18]知此者，方足以观南田翁之书，方足以论南田翁之书！

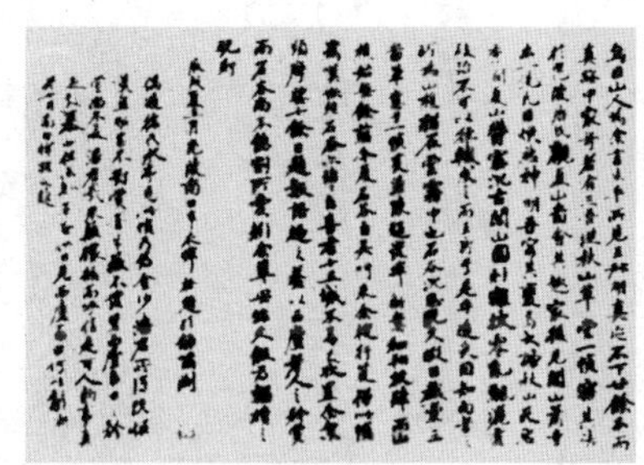

清恽寿平书

［注释］

① 头面顶礼：顶礼膜拜时头与面都着地，表尊敬虔诚。南田翁：姓恽名格，字寿平，江苏武进人，清代书画家。

② 画家字说：即说他的字是画家之字。

③ 极妍：应上句“十五女”。 尽利：无比锋利，应上句“千金宝刀”。 将无同：意谓无不同，相同。全句是说恽寿平的字能将极妍与尽利统一起来。

④ 生丁桑海之际：生逢明清换代之际。

⑤ “崎岖”二句：恽寿平儿时在兵乱中与父亲失散，被清将蔡郁荣部下掳去，即被蔡家收养。后谛辉和尚说蔡家养不活他，应让他出家。出家后被谛辉送还给生父。此事被写入鹫峰缘传奇。

⑥ 标于信史：青史留名。

⑦ 巍并西山，香齐薇蕨：与西山并高，与薇蕨同香。用伯夷叔齐典，武王灭殷后。伯夷、叔齐“义不食周粟，隐于首阳山（西山），采薇而食之”，直到饿死。

⑧ 标：标明。 徐：徐熙，五代南唐人。其画多以田野自然景观为材。黄：黄筌。五代西蜀画家，以花鸟画为最。赵昌：北宋画家。

⑨ 借掩俗人之口：俗人多讲仿古，南田之画实辟新境，标明仿效古人笔法，只不过投俗人所好而已。

⑩ 先德：指恽寿平之父恽日初。

⑪ 虞褚黄米：虞世南、褚遂良、黄庭坚、米芾。

⑫ 往哲：古之贤人。

⑬ 六经皆我注脚：南宋理学家陆九渊语，意谓其思想皆出自六经，可以与圣人之言互相发明。

⑭ 胥：都。

⑮ “乃知”二句：阮籍表面看上去是不拘礼法，如常大醉数十日，实际上是非常谨慎的人，因为可以借此不发表政见。

⑯ 大道至柔：过刚则折，故大道存于柔韧之中。《老子》：“天下之至柔，驰骋天下之至坚”，“坚强者死之徒，柔弱者生之徒”，“弱之胜强，柔之胜刚”。

⑰ 婴儿之道：《老子》：“专气致柔，能婴儿乎？”王弼注：“言任自然之气，致至柔之和，能若婴儿之无所欲乎，则物全而性得矣。”

⑱ 古乐府云数句：极言恽寿平能将锋利与柔美二者统一起来。 剧：甚于。

耕煙畫筆天瓶字格熟功深作祖師更有文風同此調望溪八股阮亭詩

八七

耕烟画笔天瓶字[①]，格熟功深作祖师。

更有文风同此调，望溪八股阮亭诗[②]。

取金于沙，得三弃七，而其三，莫非真金也。既而锤之如纸，研之如泥，布地装门，入眼莫非金色时，刮而称之，或不足三中之一。此理也，亦可以喻夫艺事：

有清八法，康、雍时初尚董派[③]，乃沿晚明物论也[④]。张照崛兴，以颜米植基，泽以赵董，遂成乾隆一朝官样书风。盖其时政成财阜，发于文艺，但贵四平八稳。而成法之中，又必微存变化之致，始不流为印版排算之死模样[⑤]。此变化也，正寓于繁规缛矩之中，齐民见其跌宕[⑥]，而帝王知其驯谨焉。此际之金，又不足九中之一矣。

姑冒枝蔓之嫌，兼论其他诸艺：若王翚之画，其笔可同庖丁之刃，山川气象，无复全牛[⑦]。而每见摹古册中，常厕以效颦董其昌全乖画理之作，盖迫于俗论所尚也。久之，虽摄取山灵之笔，亦俱入砖型瓦塹之中，而了无生气矣。

至于方苞古文之为化妆八股，王士祯诗歌之为傀儡生旦，其理不难推而得之也。

[注释]

① 耕烟：王翚号耕烟散人。清代画家，时称画圣，康熙中曾以布衣供奉内廷。初，恽寿平以山水自负，见翚画，度不能及，乃改写生以避之。 天瓶：张照号天瓶居士，清代书家。其书初从董其昌，后又出入颜、米，有所创新。

② 望溪：方苞，号望溪。 阮亭：王士禛，号阮亭。

③ 董派：董其昌一派。

④ 物论：众人的议论，舆论。此处有世俗之论的意思。

⑤ 排算：用筹码作计算用具。字如写成“排算”状就呆板了。

⑥ 齐民：平民。

⑦ 庖丁之刃……无复全牛：《庄子·养生主》庖丁解牛：“始臣之解牛之时，所见无非牛者。三年之后，未尝见全牛也。”意谓技术已达到炉火纯青的地步。

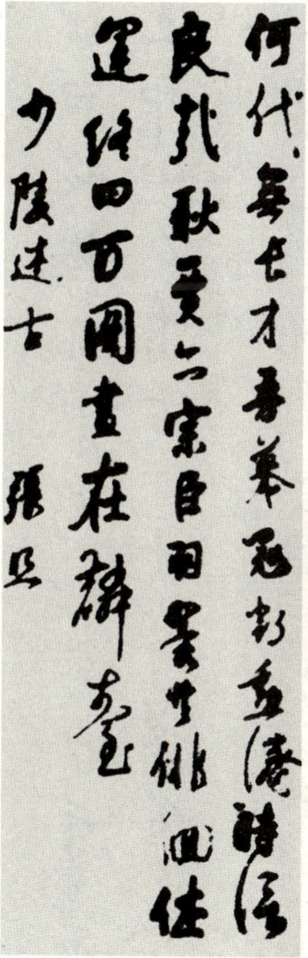

清张照书

坦白胸襟品最高神寒骨重墨萧寥朱
文印小人千古二十年前舊板橋

八八

坦白胸襟品最高，神寒骨重墨萧寥。
朱文印小人千古，二十年前旧板桥[①]。

二百数十年来，人无论男女，年无论老幼，地无论南北，今更推而广之，国无论东西，而不知郑板桥先生之名者，未之有也。先生之书，结体精严，笔力凝重，而运用出之自然，点画不取矫饰，平视其并时名家，盖未见骨重神寒如先生者焉。

当其休官卖画，以游戏笔墨博醝贾之黄金时[②]，于是杂以篆隶，甚至谐称六分半书[③]，正其嬉笑玩世之所为，世人或欲考其余三分半书落于何处[④]，此甘为古人侮弄而不自知者，宁不深堪悯笑乎？

先生之名高，或谓以书画，或谓以诗文，或谓以循绩[⑤]，吾窃以为俱是亦俱非也。盖其人秉刚正之性，而出以柔逊之行，胸中无不可言之事，笔下无不易解之辞，此其所以独绝今古者。

先生尝取刘宾客诗句刻为小印，文曰“二十年前旧板桥”。觉韩信之赏淮阴少年，李广之诛灞陵醉尉，甚至项羽之喻衣锦昼行⑥，俱有不及钤此小印时之躁释矜平者也。

[注释]

① “朱文”二句：扬州郑家共有三支，郑燮（板桥）为“板桥郑”，因此郑燮常以板桥自称，如两为知县，出门打的灯笼不题“××知县”，而题“板桥”。未中进士时，无人看重他；中进士后，又一反常态地推重他，他便巧妙地利用刘禹锡（即文中所说的刘宾客）《杨柳枝》的诗句制成印章，钤于书画作品之上，以表心迹。

② 鹾贾（cuó gǔ）：盐商，以扬州居多。

③ 六分半书：纯为郑板桥之玩笑语，意谓不够人们所说的“八分书”（即书法）。 按：所谓八分书本指隶书，而后人认为隶书相对古代正体的小篆只相当其八分功力，故云。

④ 其余三分半：此又以“十分”为准。

⑤ 循绩：优良的政绩。

⑥ “觉韩信”三句：都是古人自认为得意之举。韩信昔曾受淮阴少年的胯下之辱，韩信得势后，并未报复他们，而是收买他们为己所用。李广初被罢官，曾受过灞陵尉的羁察，李广复官后竟将他携至军中杀掉。项羽在攻打下咸阳后曾叹息：“富贵不归故乡，如衣锦夜行，谁知之者！”言下之意，即以“衣锦昼行”为荣。

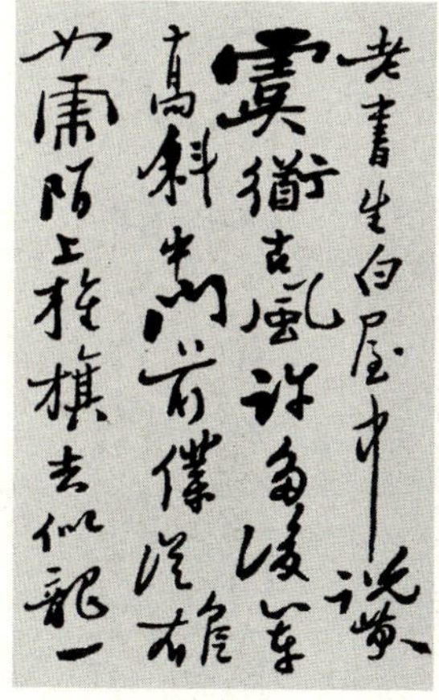

清郑燮书道情

八九

持将血泪报春晖[1]，文伯经师世所稀[2]。

禊帖卷中瞻墨迹[3]，瓣香应许我归依[4]。

持將血淚報春暉文伯經師世所稀禊
帖卷中瞻墨迹瓣香應許我歸依

功周晬失怙，先母抚孤，备尝艰苦。功虽亦曾随分入小学中学，而鲁钝半不及格。十六七始受教于吴县戴绥之师，获闻江都汪容甫先生之学[5]。旋于新春厂甸书摊上以银币一元购得《述学》二册，归而读之，其中研经考史之作，率不能句读，而最爱骈俪诸文。逮读至与汪剑潭书，泪涔涔滴纸上，觉琴台、黄楼诸篇又有不足见其至性者焉[6]。

初于《述学》中见定武兰亭跋[7]，不觉为之神往。后见扬州翻摹本，知其原卷中只有先生手书跋尾二则，其余诸条，悉为赵晋斋据《述学》补录者。继获其帖之影印本，帖前丁以诚写先生小像，神态如生。跋尾墨迹，顿挫淋漓，亦非石本所能毕肖。

先生虽宝惜兰亭，顾得帖时已四十二岁，前此熏习，实以怀仁圣教为多[8]。功平生鉴阅书画，不为不多，而所见先生墨迹，并印本计之，不过五六事，转觉兰亭为易得矣！

［注释］

① 春晖：母爱。孟郊《游子吟》：“谁言寸草心，报得三春晖。”

② 文伯：文章领袖。杜甫有“海内文章伯”之句。 经师：经学宗师。

③ 禊帖：《兰亭序》帖，因此序为“修禊事”所作。

④ 瓣香：佛教语，即一瓣香，犹言一炷香。佛教禅宗长老开堂讲道，烧至第三炷香时，长老即云这一炷香敬献传授道法的某某法师。后以一炷香指师承或仰慕某人。

⑤ 汪容甫：汪中，字容甫。

⑥ “逮读至”数句：汪剑潭（名端光）为汪中的本家，汪中在给他的信中曾说，大凡为寡妇者多长寿，但等到儿子大了，能供养母亲时，即使有参苓粱肉也无补于她即毙之身了。又，汪中父亲早丧，母亲曾带他讨饭，每到寒夜时，母子只好相抱取暖，不知能否活到天亮。这一切都使作者非常感动，故有“泪涔涔滴纸上”之句。 琴台：《琴台铭》。 黄楼：《黄鹤楼铭》。二文皆为汪中作毕沅幕府时所作，颇有影响。

⑦ 定武兰亭跋：指汪中所作定武本兰亭序跋文。其中只有二则为汪中手迹，其余为赵魏（晋斋）所补录。下文所说“跋尾墨迹”即指这二则手迹。

⑧ 怀仁圣教序：参见第四二首。

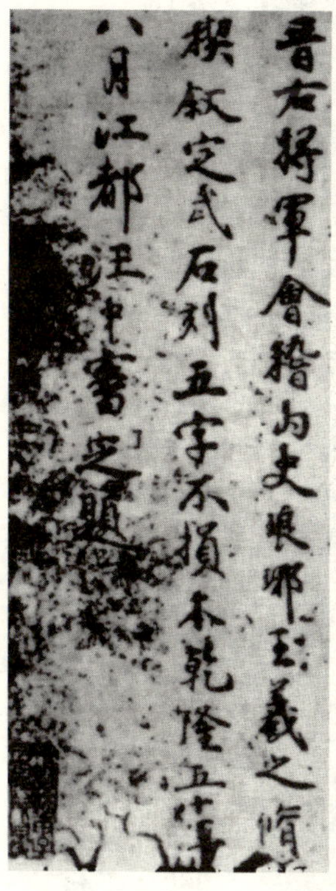

清汪中书

高郵之後有番禺安雅終推學者書一代翁劉空作態幾經鳴鼓召吾徒

九十

高邮之后有番禺[①]，安雅终推学者书。

一代翁刘空作态[②]，几经鸣鼓召吾徒[③]。

王念孙、陈澧。

乾嘉学者，有大工力于书者，宜莫钱竹汀先生若[④]。然控笔略失于重，隶书更不免有钝滞之讥。戴东原先生书[⑤]，曾见殿试策、手简、手稿，似无以书传世之想。朱笥河先生好作隶古定体[⑥]，手写华山碑跋是也[⑦]。其他随笔挥洒书札、楹联，无一毫馆阁习气，惟所传极鲜耳。

若高邮王怀祖先生手稿、函札，所见极多，无意于书，而天真平易，生平学养，俱见于点画之间，信乎学者之笔也。

较后则推番禺陈兰甫先生书。以翁正三曾提学粤东[⑧]，先生不免间接染其余习。然其融合欧米[⑨]，不但终成自家面目，亦见自家性情。所作书札，皆娓娓论学，首尾千百言，无矜持，无懈怠。昔人论师道有言教身教之说，余谓观学人之笔，可谓并受书教焉。

当时名家，成王以爵重[⑩]，可以别论。余则翁、刘各标重望，而抟土揉脂[11]，但见其处处作态，入目令人不怡，殆所谓艺成而下者乎[12]？

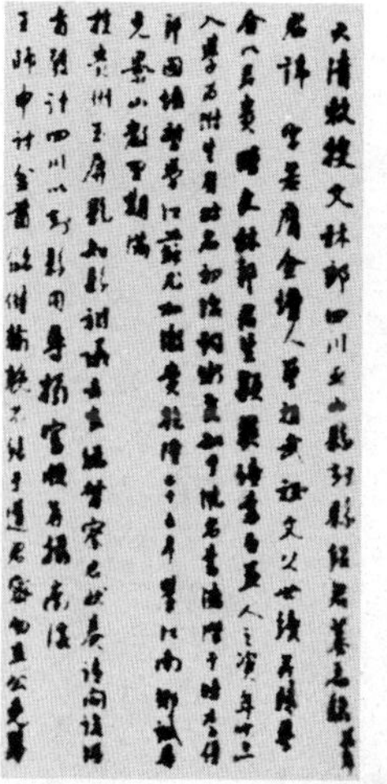

清王念孙书文稿

清陈澧尺牍

[注释]

① 高邮：指王念孙，字怀祖，高邮人。 番禺：指陈澧，字兰甫，番禺人。

② 翁：翁方纲，字正三。 刘：刘墉，字崇如。

③ “几经”句：孔子曾为冉求帮助季氏聚敛而对弟子曰：“非吾徒也，小子鸣鼓而攻之，可也。”此处谓翁刘的书法难称正宗。

④ 宜莫……若：没有像……那样的。

⑤ 戴东原：戴震。

⑥ 朱笥河：朱筠。 隶古定体：以真书的笔画来写古科斗文称“隶古定”。

⑦ 华山碑：汉代华山庙碑。

⑧ 提学粤东：任广东学政，于是很多广东文人都深受其影响，陈澧亦然。

⑨ 欧米：欧阳询、米芾。

⑩ 成王：见第十首注⑨。

⑪ 抟土揉脂：有如以土与脂所塑，散漫柔软。抟土：比喻翁方纲。揉脂：比喻刘墉。

⑫ 艺成而下：见第十二首注②。

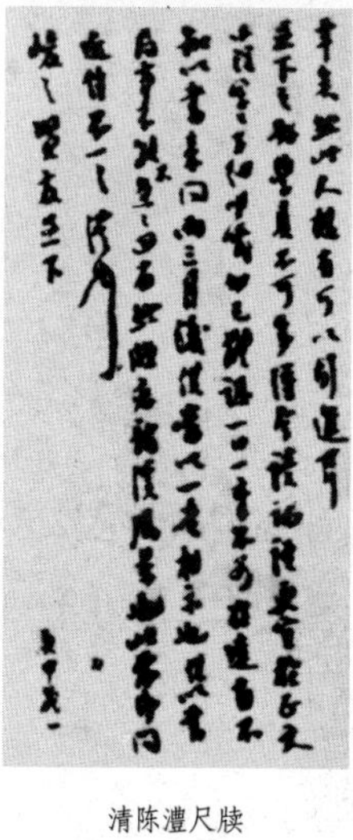

琳瑯詩富容夷韻洞達書饒婉孌情一事惜翁真可惜誤將八股榜桐城

九一

琳琅诗富容夷韵[1]，洞达书饶婉娈情。

一事惜翁真可惜[2]，误将八股榜桐城[3]。

姚鼐。

惜抱翁文名震天下，与其乡先辈方望溪齐名，世号方姚。无论方氏平生不为诗，即以文论，方又何堪媲姚哉。大抵姚见世面，通人情，方则自卖头巾[4]，而诸头巾却不相许也。

姚之诗，容夷跌宕，视随园[5]，有时竟有突过者，遑论其并时余子。至于书，又有过其诗文处。盖无意求工，却处处见深造之功，自得之趣。曾见近代赵尧生先生题其书札文稿墨迹之诗[6]，有“纸墨似相恋”之句，真妙于形容。宋人论欧阳永叔书，谓其“以尖笔作方阔字”，吾觉惜抱正有同调。

曾见明人杨继鹏[7]于皖中刻董香光书曰铜龙馆帖，惜抱笔势绝似之，盖其入手所自也。望溪以八股之法为古文[8]，又以古文之法为八股，遂成其所谓桐城文派，惜抱亦不免为其所欺[9]。

［注释］

① 容夷：平易。

② 惜翁：惜抱翁，姚鼐简称。

③ 桐城：桐城派，清代著名文章流派，其代表人物方苞（方望溪）、刘大櫆、姚鼐皆为安徽桐城人。

④ 头巾：明清时规定给读书人戴的头巾，后以头巾气指代读书人的迂腐之气。

⑤ 随园：袁枚。

⑥ 赵尧生：赵熙。

⑦ 杨继鹏：安徽人，书画家，常为董其昌（香光）代笔。

⑧ “望溪”三句：此为方苞文章之定评，昔归有光曾云以史汉笔法写八股实为此风之先。

⑨ “惜抱”句：意谓姚鼐的文章亦学方苞等人路数，故文前之诗称其“真可惜”。

清姚鼐书月仪帖跋

一般風氣一鄉人歲月推遷有故新四
體歷觀程穆倩始知完白善傳薪

九二

一般风气一乡人，岁月推迁有故新。

四体历观程穆倩[①]，始知完白善传薪[②]。

凡百艺能，莫得逃乎时代，亦莫得超乎地域。作者师承授受，口讲指画，波摹磔拟，不似则为不中程[③]，固属有意所成之家法；亦有生于其时其地，谊非师生，耳濡目染，无意中而成其流派者。

余素厌有清书人所持南北书派之论[④]，以其不问何时何地何人何派，统以南北二方概之，又复私逞抑扬，其失在于武断。然苟能平心静察，形质性情[⑤]，或为父子兄弟，或为异县他乡。时代所笼，则异中有同；地域所区，则同中有异。虽豪杰奋志，壁垒全新；或商人射利，纤毫必似[⑥]。及入识者眼中，其异其同，仍莫能掩也。

嘉庆中完白山人书法篆刻，如异军突起，震烁一世。包慎伯撰《艺舟双楫》[⑦]，复为之建旗竖鼓，历述山人遍临汉魏群碑，各若干本，取资广而用力深，一若天资学诣，迥不因人者。余尝见康熙时歙人程穆倩诸体书及印谱，因觉完白之篆刻用笔行刀，其来有自，即隶书行书，亦莫不肖似。右下一捺，其肖弥甚。乃知按模脱墼⑧，贤者不为，而登楼用梯，虽仙人不废焉。

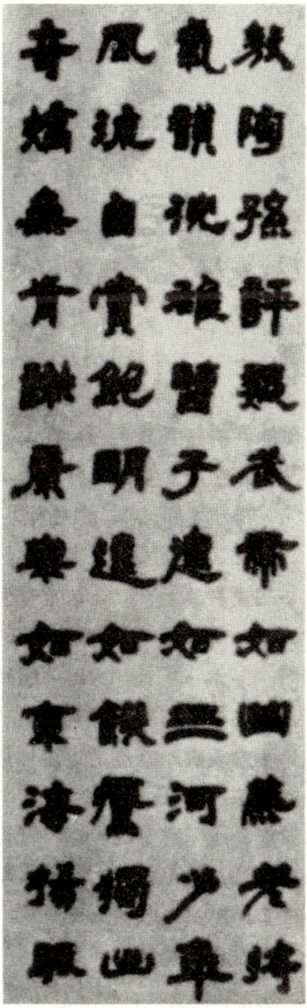

[**注释**]

① 四体：真草隶篆。泛指各种书体。程穆倩：程邃，安徽人。邓石如与其同乡。

② 完白：邓石如，号完白山人，清书法家。四体皆工，犹善篆隶，借古开今，开创篆书新面目。

③ 不中程：不合规矩。

④ 有清书人：此处指阮元。

⑤ 形质性情：《书谱》："真书以点画为形质，以使转为性情；草书以使转为形质，以点画为性情。"

⑥ 商人射利，纤毫必似：商人为牟利而作假，尽力把赝品作得逼真。

⑦ 包慎伯：包世臣，《艺舟双楫》是其《安吴四种》之一，专讲文与书。

⑧ 按模脱墼：喻死板仿制。墼（jī）：砖坯。

清邓石如隶书

驚呼馬背腫巍峩那識人間有橐駝莫
笑擘經持論陋六朝遺墨見無多

九三

惊呼马背肿巍峨，那识人间有橐驼。

莫笑擘经持论陋[1]，六朝遗墨见无多。

仁智异乐[2]，酸咸异嗜，各好其好，本无强同之理，而世人好辨，强人从我，学问之道，其弊尤烈：

经学之今古文[3]，道学之朱陆派[4]，读书人为之齿冷久矣。至于医术、丹青、烹饪、音乐等，入主出奴[5]，喧嚣不堪入耳。至于书道，争端更有易启者[6]。盖医术有生死可征，丹青则人马可辨，烹饪则猫犬亦识其香，音乐则鱼鸟亦歆其韵，惟书道则不然。不识一丁者，亦可照猫画虎，率尔操觚[7]；略识之无者[8]，更得笔舌澜翻，逞其臆论。此辈浅学，闻者嗤之，其谬尚不难破败；惟世之达官且号为学人者，纵或指鹿为马，闻者莫敢稍疑，阮元之“南北书派论”是也。其于唐宋法书,汉晋墨迹,寓目既稀，识解更无所有。其所论列，譬如独坐路歧，指评行客，肥者氏赵，瘦者氏钱，长则姓孙，短则姓李而已[9]。语云：“少见多怪，见橐驼谓马肿背”，堪为揅经室主诵之。至其陋谬之例，有目共见，吾又何暇列举乎！

［注释］

① 揅经：即文中所说“揅经室主”阮元。揅：通“研”。

② 仁智异乐：《论语》：“智者乐水，仁者乐山”。

③ 今古文：今文学派与古文学派。

④ 朱陆：朱熹、陆九渊。一般认为前者为客观唯心论，后者为主观唯心论。

⑤ 入主出奴：语出韩愈《原道》，意谓崇信一种说法，必然排斥另一种说法，以己所崇信者为主，以所排斥者为奴。后以入主出奴指持有门户之见。

⑥ 易启：易于引发。

⑦ 操觚：执简，谓写作。觚：三棱木简，古人用以书写或记事。

⑧ 之无：谓最简单的字。

⑨ “譬如”六句：谓任意指派。

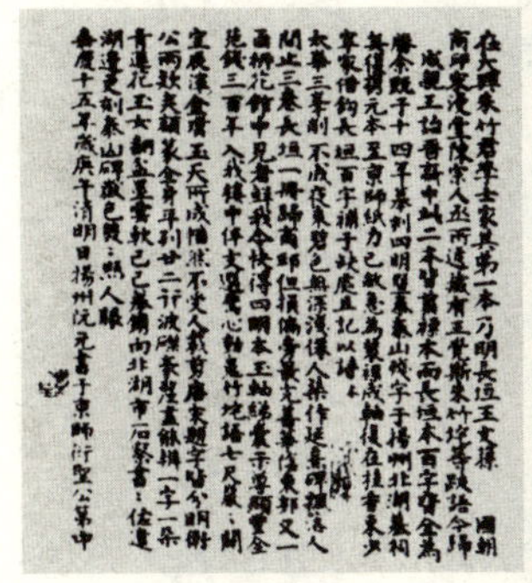

清阮元书

無端石刻似蜂窩摸索低昂聚訟多身
後是非誰管得安吳包與道州何

九四

无端石刻似蜂窝，摸索低昂聚讼多。

身后是非谁管得[①]，安吴包与道州何[②]。

人之性情源乎秉赋，而识解则必资于见闻。佛寺道观，满壁鬼神，纵或三头六臂，其每头每臂，固皆取象于人之一体。遗腹子不梦其父，未曾亲见其父也。顾陆张吴[③]，丹青绝世，然未闻能画世所未见之物焉。

书法习尚，代有变迁。所谓“臣无二王法，二王亦无臣法”[④]，并非谐语。以时世既异，其法亦必两有不能者。复古创新，同借所因[⑤]，心目苟无，豪杰莫能措手。徒逞龂龂之口，悻悻之心，多见其无益耳。

有清中叶，书人厌薄馆阁流派，因以迁怒于二王欧虞赵董之体[⑥]。兼之出土碑志日多，遂有尊碑卑帖之说及南北优劣之辨[⑦]。阮元、包世臣发其端，何绍基、康有为继其后，于是刀痕石璺，尽入品题；河北江南，自成水火。暨乎石室文书[⑧]，流沙简牍[⑨]，光辉照于寰区，操觚之士，耳目为之一变。于是昔之龂龂然累牍连篇者，俱不足识者之一哂。此无他，时世不同，目染有所未及而已。

清包世臣书

清何绍基书

[注释]

① “身后”句：语出陆游《小舟游近村，舍舟步归》：“死后是非谁管得，满村听说蔡中郎。”

② “安吴”句：承上，意谓在包世臣与何绍基死后，他们的理论主张已没有人再看重或过问了。

③ 顾陆张吴：晋顾恺之、晋陆探微、梁张僧繇、唐吴道子。

④ “臣无”二句：梁时张融之语。

⑤ 同借所因：都需要凭借一定的依据。

⑥ 二王欧虞赵董：王羲之、王献之、欧阳询、虞世南、赵孟頫、董其昌。

⑦ 南北优劣之辨：参见上首。

⑧ 石室文书：敦煌石窟出土的文书。

⑨ 流沙简牍：西北边陲一带出土的简牍。

秦漢碑中篆隸形有人傅會說真行逆圈狂草尋常見可得追源到拉丁

九五

秦汉碑中篆隶形，有人附会说真行[①]。

逆圈狂草寻常见，可得追源到拉丁。

书体之篆隶草真，实文字演变中各阶段之形状，有古今而无高下。譬之虫豸，卵子圆而小，幼虫长而细，蛹如桶状而微椭，蛾同蝶形亦能飞。虫先于蛹，并不优于蛹也。卵小于虫，未必美于虫也。贵远贱近，文人尤甚。篆高于真，隶优于草，观念既成，沦肌浃髓[②]，莫之能易焉。

然真行之体，行来已千数百年，久为日用所需。仓颉复起，亦必回天无术。若乾嘉时江声艮庭[③]，所书文稿笺札，莫非小篆，见者不识，竟成笑柄。亦有既不得不用真行今草，又不甘其不古者，于是创为篆法隶法，篆意隶意之说。笔圆而秃者，谓有篆法，笔方而扁者，谓有隶法，并不计其字体之今古繁简焉。于无可征验之中，收指挥如意之效，遂有谓右军之书，必如二爨始称真迹者[④]。

怀素自叙卷中狂草，间有行笔反圈，作逆时针方向者，余每戏指示人，谓为得拉丁笔法。

盖崇洋媚古，其揆莫二，惜谈篆法隶意者，见不及此耳⑤。

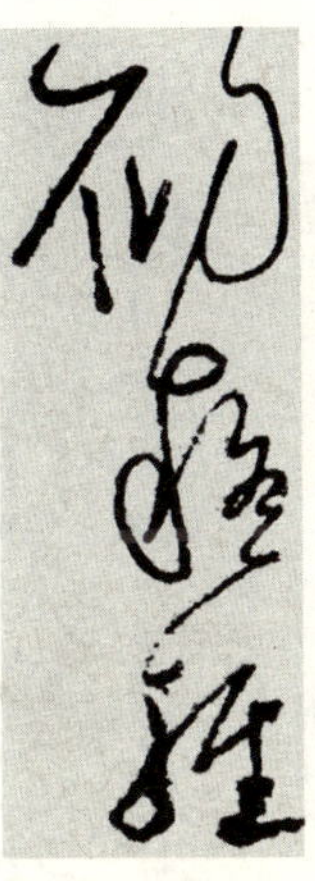

怀素自叙帖逆笔疑字

逆笔吴字

［注释］

① “有人”句：意谓有人要将篆意隶意笔法强加于真行之上。例如有人说《兰亭序》有隶法。

② 沦肌浃髓：渗透肌肉骨髓，比喻程度或感受之深。

③ 江声艮庭：江声，字艮庭。

④ 二爨：即《爨宝子》碑与《爨龙颜》碑。

⑤ “盖崇洋”四句：意谓非要说诸如王羲之的书法一定同“二爨”碑一样有篆法隶意，那么就可以说怀素的自叙卷狂草中有拉丁笔法了。这显然是不合情理的。揆：道理、准则。

貶趙卑唐意不殊推波南海助安吳紆
迴楫艣空辭費只刺衰時館閣書

九六

贬赵卑唐意不殊[①]，推波南海助安吴[②]。
纡回楫橹空辞费[③]，只刺衰时馆阁书[④]。

历代俱有官样书体，唐代告敕[⑤]，若颜真卿体，若徐浩体[⑥]，其后各卷俱冒称颜徐真迹，然而尚未全归一致。至宋则一律作怀仁集王圣教序体，以其风格出自御书院，当世遂号曰院体。明代告身，所见者全是沈度一派[⑦]。翰林馆阁之书，若姜立纲、程南云，亦是沈度一体之略肥者。有清康熙时风行董其昌体，似尚无统一之规格。至乾隆时张照体出，御书采之，遂成所谓南书房体[⑧]，可谓初期之馆阁书。然殿试策尚不尽如是，所见钱大昕、戴震之策，固甚简便也。嘉道以后[⑨]，标举黑大光圆之诀，白摺大卷，全同印版[⑩]，号曰卷摺体，则后期之馆阁书也。蓬山清秘[⑪]，尊之若在九天；而世人退而议其书风，贬之如坠九地。何以故？以帝王一人之力，欲纳天下之书于一格耳。

包世臣《艺舟双楫》讥赵孟𫖯书如市人入隘巷，无顾盼之情[⑫]。验以赵书，并非如此，盖借以讽馆阁书体耳。至康有为《广艺舟双楫》，进而痛贬唐人，至立“卑唐”一章，以申其说。察其所举唐人之弊，仍是包氏贬赵之意而已。

《双楫》论文与书也，《广双楫》但论书，时人号之为“艺舟单橹”。

清董诰小楷

晚清人书考卷

[注释]

① 意不殊：谓贬赵卑唐的目的都一样。

② 南海：指康有为，广东南海人。安吴：包世臣。

③ 纡回：绕来绕去地说。 楫橹：包世臣的《艺舟双楫》、康有为的被人讥为“艺舟单橹”的《广艺舟双楫》。

④ 只刺衰时：只为讥讽末世的馆阁体。

⑤ 告敕：告身敕令，都是朝廷公文。

⑥ 徐浩：唐肃宗朝中书舍人，四方诏令多出其手。

⑦ 沈度：参见第八二首注③。

⑧ 南书房：因位于乾清门西，坐南朝北，故称。初为商议军机之处，后变成皇帝读书之地。

⑨ 嘉道：嘉庆道光年间。

⑩ 印版：谓字字都很匀称，像排印的一样。

⑪ 蓬山清秘：借指翰林官署衙门。蓬山：官署名，秘书省的别称。 清秘：清净秘密之所，多指宫禁之地。

⑫ “如市人”二句：比喻字排成一串，只知往下延伸过去，不能照顾到左右。

少談漢魏怕徒勞簡牘摩挲未幾遭豈
獨甘卑愛唐宋半生師筆不師刀

九七

少谈汉魏怕徒劳，简牍摩挲未几遭[1]。

岂独甘卑爱唐宋[2]，半生师笔不师刀[3]。

文字递嬗，其书写之法，自然不同。虽有时代之异，然非前必优后必劣也。且真草以至行书，自魏晋至隋唐，逐渐完美，世人习用至今，已有千数百年之经历。其前虽为篆隶，但习真行者，非必先学篆隶始能作真行笔势也。不独此也，今人久习篆隶，甚至有翻不能为真行者[4]。唐人艳称滕王善画蛱蝶，然未闻滕王先工画卵蛹而后始工画蝶也[5]。

清初朱竹垞、郑谷口好作隶书[6]，学曹全碑[7]，与其真行用笔相似，观者不以为工。邓石如篆隶，世无间言矣，而行草纠绕，虽包慎伯之倾心推挹[8]，于其行草犹稍以为未足。若钱十兰、黄小松[9]，篆隶工矣，而真行署款，亦未能与其篆隶齐观。此篆隶与真草行书并不同法之明证，非能工于彼，即工于此也。自两汉简牍出土以来，始知汉人作书，并不如拓秃石刻之矫揉，而邓石如诸贤，则未尝一睹汉人墨迹也。

余学书仅能作真草行书，不懂篆隶。友人有病余少汉魏金石气者，赋此为答。且戏告之曰，所谓金石气者，可译言“斧声灯影”⑩。以其运笔使转，描摹凿痕；结字纵横，依稀灯影耳。

[注释]

① 简牍：指西北一带出土的书简。

② 甘卑：甘心谦卑。

③ 师笔不师刀：师法墨迹而不师法碑刻。 按：由此以下四首都是作者自述习字之体验，诗中的主语皆为自己。

④ 翻：同“反”。

⑤ 艳称：说得天花乱坠。 滕王：唐高祖第二十二子李元婴在贞观十三年（652）受封为滕王。

⑥ 朱竹垞：朱彝尊。 郑谷口：郑簠（fǔ）。

⑦ 曹全碑：东汉刻碑。

⑧ 包慎伯：包世臣。按：此句可参见第九二首第三段。

⑨ 钱十兰：钱坫，字献之，号十兰，钱大昕之侄，善篆书。 黄小松：黄易，号小松，善隶书。

⑩ 斧声灯影：据说赵光义为夺帝位杀死了赵匡胤，当时有人看到窗内有灯影，又听到内有斧声。作者在这里将“斧声”巧妙地引申为凿碑，将“灯影”引申为学痕迹，意谓有些人只知摹仿拓秃了的碑。

亦自矜持亦任真亦隨俗媚亦因人亦
知狗馬常難似不和青紅畫鬼神

九八

亦自矜持亦任真，亦随俗媚亦因人。

亦知狗马常难似，不和青红画鬼神[①]。

刘墉书骄恣偃蹇，了无足取。其自论作书甘苦，却有道着实际处。观其与伊秉绶书云[②]：“气骨膏润[③]，纵横出入，非吾所难；难在有我则无古人，有古人则无我。奈何奈何！”所谓有古人者，似碑帖中字也；所谓有我者，自成体段也。不佞于此[④]，亦有同感焉。临古法书，求其肖似，而拘泥矜持，不啻邯郸之步。追乎放笔自运，分行布白，可得己出矣，而点画荒率，每招杜撰之讥。且自运稍久，临古又无入处。其病所由，盖临古不深，而自运又复不熟耳。乃知书虽一艺，但非率尔可工。其心须放，其眼须精，其手须勤。回忆每临帖一通之后，放笔作字，必有一丝进境，然无从有意求之。

人莫逃乎时代风气，虽大力者，创造与规避，两不可能。惟有广于借鉴，天然消化耳。石刻斑剥，壁上之鬼神也；墨迹淋漓，人间之狗马也，欲有借鉴，惟画狗马而不画鬼神，其券可操之于己耳。“鬼物图画填青红”，韩退之句也[5]。

[注释]

① “亦知狗马”二句：意谓宁肯学画人间之狗马而不似，也不愿学画壁上怪怪奇奇的鬼神。比喻宁肯学墨迹，不学石刻。

② 伊秉绶：刘墉的门生。

③ 膏润：墨色浓润饱满。

④ 不佞（nìng）：作者自谦之称。

⑤ 韩退之句也：见韩愈《谒衡岳庙遂宿岳寺题门楼》诗。

用筆何如結字難縱橫聚散最相關一
從證得黃金律頓覺全牛骨隙寬

九九

用笔何如结字难，纵横聚散最相关。

一从证得黄金律[1]，顿觉全牛骨隙宽[2]。

赵子昂云：“书法以用笔为上，而结字亦须用功。”此语出自宗师，宜若可信。讵知习书以来，但辨其点划方圆，形状全无是处。其后影摹唐楷，见其折算，于停匀中有松紧，平正中有欹斜。苟能距离无谬，纵或以细线划其笔划中心，全无轻重肥瘦，悬而观之，仍能成体。乃知结字所关，尤甚于用笔也。

又用世俗流行之九宫格、米字格作字[3]，上字之脚，每侵入下格，递侵之余，常或一行四格之中，只能容得三字。以注意力必聚于格之中心也。偶以放大画图所用划有细小方格之坐标玻璃片，罩于帖上，详量每字中笔划之聚散高低，始知结字之秘。盖字中重点，并不在中心一处。

其法将每大方格纵横各划十三小方格，中间三小格纵横成十字路，每行小格为五三五。自左上一交叉点言，其上其左俱为五，其下其右俱为八。此十字路中四交叉点，各为五比八之位置，合乎黄金分割之理焉。余别有文述之[4]，兹不能详。

[注释]

① 黄金率：即黄金分割率，把一条线段分成两部分，使其中的一部分与全长的比等于另一部分与这部分的比，即比值为0.618。这种比例在造型上比较悦目，容易引起美感，故称黄金分割。作者的一大发明即在于发现最佳的结字组合亦符合黄金率。

② 全牛骨隙宽：谓游刃有余。《庄子·养生主》讲庖丁解牛的故事："彼节者（牛的骨节之间）有间（缝隙），而刀刃者无厚，以无厚入有间，恢恢乎其于游刃必有余地矣。"

③ 九宫格：方格中画井字，使成等分之九格。

④ 余别有文述之：可参见《论书随笔》贰《论结字》。

先摹趙董後歐陽晚愛誠懸竟體芳偶作擘窠釘壁看旁人多說似成王

一百

先摹赵董后欧阳，晚爱诚悬竟体芳[①]。

偶作擘窠钉壁看[②]，旁人多说似成王[③]。

右四首自题所书册后者。

以上八十首为一九六一年至一九七四年作。

余六岁入家塾，字课皆先祖自临九成宫碑以为仿影[④]。十一岁见多宝塔碑[⑤]，略识其笔趣。然皆无所谓学书也。

廿余岁得赵书胆巴碑，大好之，习之略久，或谓似英煦斋[⑥]。时方学画，稍可成图，而题署板滞，不成行款。乃学董香光，虽得行气，而骨力全无。继假得上虞罗氏精印宋拓九成宫碑[⑦]，有刘权之跋，清润肥厚，以为不啻墨迹，固不知其为宋人重刻者。乃逐字以蜡纸钩拓而影摹之，于是行笔虽顽钝，而结构略成，此余学书之筑基也。

其后杂临碑帖与夫历代名家墨迹，以习智永千文墨迹为最久，功亦最勤。论其甘苦，惟骨肉不偏为难[⑧]。为强其骨，又临玄秘塔碑若干通。偶为人以楷字书联，见者殷勤奖许之曰，此深于诒晋斋法者，而余固未尝一临诒晋帖也。

吁！此不虞之誉耶，取径相同耶？乡曲熏习耶[⑨]？抑生物之“返祖”耶？俱不得而知之矣！

[注释]

① 诚悬：柳公权，字诚悬。 竟体芳：遍体芳馨。

② 擘窠：此处指楷书。

③ 成王：即永瑆，乾隆第十一子，封为成王，斋号为诒晋斋，擅长楷书。

④ 九成宫碑：欧阳询所书。

⑤ 多宝塔：颜真卿所书。

⑥ 英煦斋：清人英和，专学赵体。

⑦ 罗氏：罗振玉。

⑧ 骨肉偏：或骨强，或肉多。

⑨ 乡曲：谓同是满族人。

读注释后记

学友赵君笃学善著书，亦好八法。霁晚萧晨，过往谈论，于前贤论书之作，时有古奥难通之语，相与参详，每多神解。

余以拙作百首面质，深相期许，又闻读者有所未达处，乃奋笔而书，阐发每有不佞未及见者，抵掌论学之乐，于斯可得。

韵语之道，不佞讵敢上拟王渔洋；而注释《精华录》，赵君远超惠松崖。惭悚有加，附此敬申谢意。

启功附识

2001.3.15

论书随笔

壹　论笔顺

什么叫做笔顺？习惯即指写字时各个笔划的先后顺序。例如写“人”字，先“丿”后“㇏”；写“二”字，先上横后下横。这个原则可以类推。

这种顺序是怎么产生的，谁给规定的？回答是由于写时方便的需要。写字用右手，不仅汉字，即世界各族人，也都如此。汉字写法习惯，每字各笔划的先上后下，先左后右，是怎么形成的？不难理解，如果倒过来写，先下后上，在写上笔时，自己的手和笔，遮住了下一笔，写起即不方便。“顺”字，即是便利的意思。

汉字的章法，每行自上而下，各行却由右而左，这种写法习惯，自商周的甲骨金文中已然如此。任何习惯的形成，都有它的复杂因素，后人可以推测，但难绝对全面确定它的原理。笔划之间，先上后下，先左后右，字与字之间，先上后下，这是一致的，单独“行际”是由右向左只能归之于“自古习惯”，“汉字习惯”。

每字的笔顺，比“行次”问题好理解，下面举几个例：

“宀”，上一点在最上，左点在左，然后横划连右钩，是顺的。“宀”下边装进什么都是第二步的事。

“亻”，“丿”在上，从上向左下走，“丨”在“丿”下，即成为“亻”，右边可以随便搭配了。

“小”，“亅”居中，定了标竿，左右相配，容易匀称。“业”，先“‖”，后配左右两点，亦是此理。

“中”，先写“口”，像剪彩的彩带，先扯平，中间下剪，比较容易。

“万”，先写横，没问题。“㇆”与“丿”，谁先谁后，有争议。从方便讲，宜先写“㇆”，“丁”的左下有一块空地，用“丿”把它分割，字中空白容易匀称。“衣”中的“𠄌”右“㇏”，也是分割空地的道理。

“日”、“目”，顺序如下：冂 冃 月 目，为什么不先写“口”，因为这长方格中，填进小横，不易匀称。先写冂，如果里边空地不够，末笔稍靠下，也还无妨，如果里边空地还多，“冂”的两个下脚露出些尖也不要紧。

“母”，先左连下成“𠃊”，后上连右成“㇆”，即成“口”，一横平分，毋，两小空格中各填一点，可谓“顺理成章”。

“太”，先一横，定了这个字的领地中主要位置，中分一横，从上向左下一“丿”，“ナ”的右下有一空地，用“㇏”平分这块空地，即成“大”，再在下边空地中加一个点，也是自然便利的。

这个道理，再推到另一例：“春”，“三”可以比“太”字的“一”，“人”，与“太”字同一办法，下加“日”，可以比

"太"字的下边一点。不管字中笔划多么繁，交叉多么乱，都可以从这种原理类推而得。

至于行书的笔顺，有时和楷书略有不同的。因为行书是楷书的快写，为了方便，有时顾不了像楷书那样太顺，例如"有"，楷书原则是先"一"后"丿"，以"丿"分割"一"。行书为了顺利，先"丿"转向左上连"一"，"一"的右端再转下连"丿"，再后成"月"。这种不合楷书的"顺"，却是行书的"顺"，不可固执看待。

草书比行书更简单、更活动了。无论从隶书变成的"章草"还是从楷书变成的"今草"，它的构成，都不出两种原则：一是字形外框的剪影；二是笔划轨道的连接。前一种例如"海"，写作"[illegible]"，把"氵、𠂉、母"三部分按它们的位置各画出一个简化了的形状。又如"冋"或"回"，只作[illegible]也可以了。又如"婁"，写作"[illegible]"，便是由"婁"变"娄"，又把娄的头接上它的脚，只要"米"和"女"，抛去了它的腹部。还有几种公用的符号，如左边的"丨"，可代替"亻、彳、氵"等，下边的"一"，可代替"火、心、灬"等。

后一种例如"成"，写作"[illegible]"，"厂"写作"[illegible]"，"乚"写作"亅"，里边的"𠃌"写作左边的"[illegible]"，右边的"丿"写作"[illegible]"，右上的点不改。这即是把分写合为"成"字的各个笔划，按照它们的先后次序连接写得的一个内有笔序，外变形状的"成"字。又如"有"字，草书先从"丿"的头部写起，左弯的上代横，从右上转的左下代"月"的左竖，右转回钩，代“月”字的“ㄋ”，便成了“有”，略近外形，实是用笔顺构成的，和行书的“有”字又不同了。

草书不易认识，有许多人正在研究从草字查它是什么楷字的办法。还没有很简便的方案。现在姑且按上边两种例子做一试探：即看到一个草字后，先看它的外框像个什么楷字，再按它的笔顺断断续续地写一写，至少可以翻译出一半以上的草字。

贰　论结字

字是用许多笔划构成的，笔划又具有各种不同的形状，如丶一丨丿㇏乚亅，所谓点、横、竖、撇、捺、钩等。随着字形的需要，有多种排列组合的方式，成为“字形”，这是字的基本构造问题。每个字形的姿态，又与字中每个笔划的形状和笔划安排有关。如笔与笔之间的疏密、斜正、高矮、方圆等等，都影响着字的姿态，这是书法美术的问题。这里所说的“结字”，是指后者。“结字”，习惯上也称“结构”、“结体”，或称“间架”。

元代书法家赵孟頫说：“书法以用笔为上，而结字亦须用工”（见《兰亭十三跋》）。用笔无疑是指每个笔划的写法，即笔毛在纸上活动所表现出的效果。当然笔毛不聚拢，或行笔时笔毛不顺，写出的效果当然不会好。又或写出的笔划，一边光滑，一边破烂，这笔是把笔头卧在纸上横擦而出的。笔划两面光滑，是写字最起码的条件。要使笔划两面光滑，就必须笔头正，笔毛顺。从前人所说的“中锋”，并无神秘，只是笔头正、笔毛顺而已。好比人走路必定是腿站起，面向前的原则一样。躺着走不了，面向旁边必撞到别的东西上。不言而喻，赵氏这里所说的“用笔”，必定不是指这个起码条件，而是指古代书法家艺术性的笔划姿态。究竟他所指的“用笔”和“结字”哪个重要呢？以次序论，当然先有笔划，例如先有“一”后有“丨”，才成“十”字，“十”字的形成，后于“一”的写出。但如果没有十字的构想或设计方案，把一丨排错，写成丅丄，也是不行的。从书法艺术上讲，用笔和结字是辩证的关系。但从学习书法的深浅阶段讲，则与赵氏所说，恰恰相反。

举例来说：假如我们把古代书法家写得很好看的一个“二”字，从碑帖上把两横分剪下来，它的用笔可说是“原封未动”，然后拿起来往桌上一扔，这二横的位置可以千变万化，不但能够变成另一个字，即使仍然是短横在上，长横在下，但由于它们的距离小有移动，这个字的艺术效果就非常不同了。倒过来讲，一个碑帖上的好字，我们用透明纸罩在上边，用钢笔或铅笔在每一笔划中间划上一条细线，再把这张透明纸拿起单看，也不失为一个好的硬笔字。不待言，钢笔或铅笔是没有毛笔那样粗细、方圆、尖秃、强弱的效果，只是一条条的匀称的细道，这种细道也能组成篆、隶、草、真、行各类字形。甚至李邕的欹斜姿态，欧阳询的方直姿态，也能从各笔划的中线上抓住而表现出来。

练写字的人手下已经熟习了某个字中每个笔划直、斜、弯、平的确切轨道，再熟习各笔划间距离、角度、比例、顾盼的各项关系，然后用某种姿态的点划在它们的骨架上加

"肉"，逐渐由生到熟，由试探到成就这个工程，当然是轨道居先，装饰居次。从前人讲书法有"某底某面"之说，例如讲"欧底赵面"，即是指用欧的结字，用赵的笔姿。也是先有底后有面的。

汉字书法的艺术结构问题，从来不断地有人探索。例如隋僧智果撰《心成颂》(或作《成心颂》)，主要是讲结字的。后世流传一种《楷书九十二法》，说是欧阳询所作，实属伪托。书中的办法，是找每四个字排比并观，或偏旁相同相类，或字中主要笔划相近，或这四个字的轮廓相近，或解剖字是几大块拼成的。希望收到举一反三之效，用意未尝不好，但是不见得便能收到"触类旁通"的作用。习者照它做去，还不能抓住每字各笔的内在关系。其他在文章中提到结字的问题的，历代论书作品中随处都有，也不及详举了。

一次在解剖书法艺术结字时，无意中发现了几个问题，姑且列举出来，向读者请教：

发现经过是这样，因为临帖总不像，就把透明纸蒙在帖上一笔一划地去写。当我只注意用笔姿态时，每觉得一下子总写不出帖上点划的那样姿态，因只琢磨每笔的方圆肥瘦种种方面，以为古人渺不可及。一次想专在结构上探索一下，竟使我感觉吃惊。我只知横平竖直，笔在透明纸上按着帖上笔划轨道走起来，却没有一笔是绝对平直的。我脑中或习惯中某两笔或某两偏旁距离多么远近，及至体察帖上字的这两笔、两偏旁的距离，常和我想的并不一样。

于是拿了一个为放大画图用的坐标小方格透明塑料片，罩在帖字上，仔细观察帖字中笔划轨道的方向角度、笔与笔之间的距离关系，字中各笔的聚处和散处、疏处和密处。如此等等方面，各做具体测量。测量办法是在塑料小方格片上划出帖字每笔的中间“骨头”，看它们的倾斜度和弯曲度。再把每条“骨头”延长，使它们向去路伸张，出现了许多交叉处。这些交叉处即是字中的聚点。尽管帖字中那处笔划并未一一交叉，但是说明笔划的攒聚方向，再看伸向字外的远处方向，很少有完全一致、平行的“去向”。凡是并列的二笔以上的轨道，无论是横竖撇捺，很少有绝对平行的。总是一端距离稍宽，一端距离稍窄，或中间稍弯处的位置以及弯度必有差别。

从这些测量过程中发现以下四点：

一、字中有四个小聚点，成一小方格：

通用习字的九宫格或米字格并不准确，因为字的聚处并不在中心一点或一处，而是在距离中心不远的四角处。回忆幼年写九宫格、米字格纸时，一行三字的，常常第一字脚伸到第二格中，逼得第二字脚更多地伸入第三格中，于是第三字的下半只好写到格外，为这常受老师的指责。现在知道字的聚处不在“中心”处，再拿每串三大格的纸写字，就不致往下递相侵占了。

这种距离中心不远的四个聚处是：

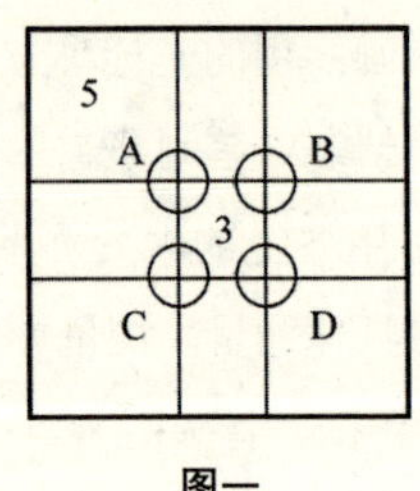

图一

A、B、C、D是四个聚处，当然写字不同机械制图，不需要那么精确。在它的聚处范围中，即可看出效果。（附图一）

从A到上框或左框是五，从A到下框或右框是八。其余可以类推。这种五比八，若往细里分，即是0.382∶0.618，无论叫什么“黄金律”、“黄金率”、“黄金分割法”、“优选法”，都是这个而已矣。

须加说明的是，在测量过程中，碑帖上的字大小并不一律，当时只把聚点和边框的距离的实际数字记下来，然后换算它们的比例。例如甲帖中某字，A处到上框是X，A处到下框是Y，即列成：

X∶Y=5∶8（或用0.382∶0.618）

如果外项大于内项的，这个字便舒展好看，反之，便有长身短腿之感。也曾把帖字各按十三格分划后再看，更为清楚。

这个方形外框，并非任何字都可撑满的，如“一”、如“卜”、如“口”、如“乂”，等等，即属偏缺不满框格的，它是字形构造的先天特点。在人为的艺术处理上，写时也可近边框处略留余地。再细量古碑，有的几乎似有双重方框

的（并非石上果有双重方框痕迹，只是从字的距离看去），似是：（附图二、三）

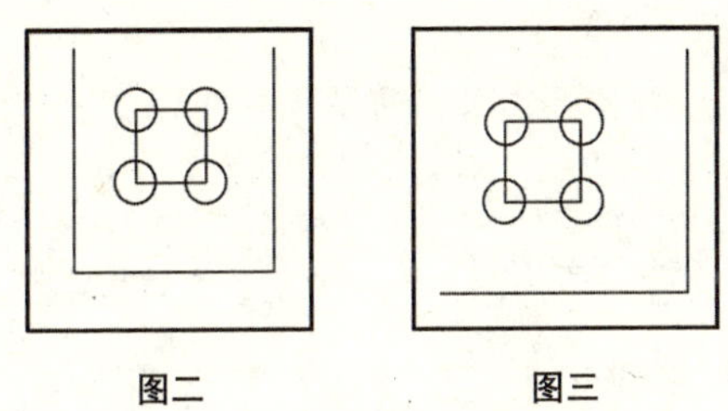

图二　　图三

也就是把那个中心四小聚处的小格再往中上或左上移些去写，或说大外框外再套两面或三面的一层外框，这在北朝碑中比较常见，若唐代颜真卿的《家庙碑》，把字撑满每格，于是拥挤迫塞，看着使人透不过气来。

这种格中写的字，可举几例：

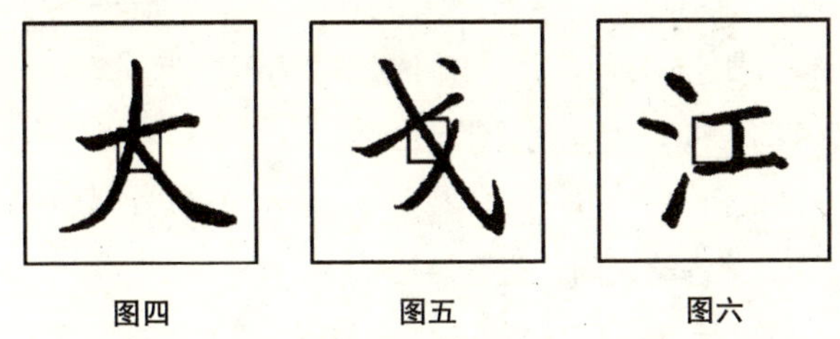

图四　　图五　　图六

大字的“一”，至少挂住A处。“丿”至少通过A处，或还通过B处。“㇏”自A处通过D处。（附图四）

戈字“一”通过A处，“㇂”通过A、D二处，“丿”交叉在D处，右上补一个点。（附图五）

江字上一“丶”向A处去，“㇀”向C处去，“二”分别靠近B、D。小“丨”，上接近B下接近D。（附图六）

口，无可接触交叉处，但在不失口字的特点（比“曰”字小些、比“日”字短些）前提下，包围靠近小方格的四周。（附图七）

“一”字在大格中的位置，总宜挂上A处。（附图八）

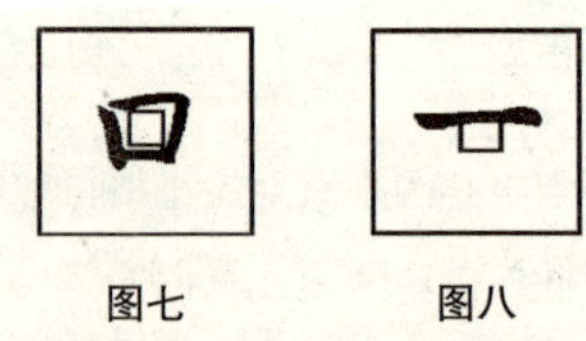

图七　　图八

其他的字，有不具备交叉或攒聚处的，也可用五比八的分割，或“图一”的中心小格“3”，放在帖字上看，便易抓住此字的特征或要点。笔划的向外伸延处，要看每笔外向的末梢，向什么方向伸延，它们的距离疏密是如何分布，也是结字方法中的一个组成部分。

二、各笔之间，先紧后松：

如“三”，上二横较近，下一横较远，如“三”便好看。反之，如“三”，便不好看。其他如“川”、“氵”、“彡”都是如此。若在某字中部，如“日”、“目”里边两个或三个白空，也宜愈下愈宽些，反之便不好看。此理可包括前条所谈的一字各笔向外伸延所呈现的角度。如果上方、左方的距离宽，下方、右方的距离窄，就不好看。如“米”字：

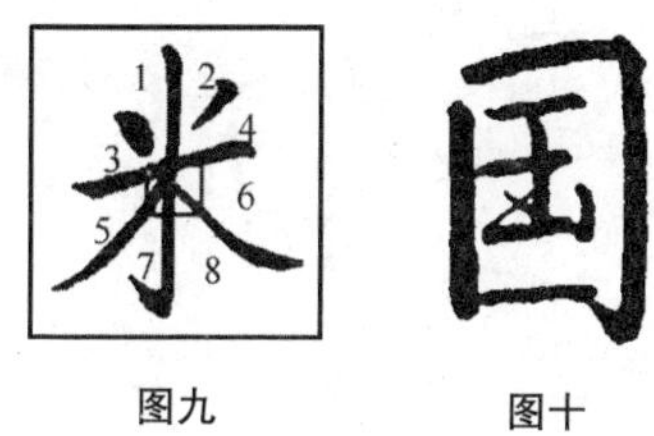

图九　　图十

1、2小于3、4，3、4小于5、6，5、6又小于7、8。如果反过来写，效果是不问可知的了。（附图九）

又字中的部件，也常靠上靠左，例如“国”、“玉”，在“囗”中，偏左偏上。如果偏靠右下，它的效果也是不问可知的。（附图十）

三、没有真正的“横平竖直”：

根据用坐标小格测定，没有真正死平死直的笔划，划中都有些弯曲，横划都有些斜上。这大约是人用右手执笔的原因。铅字模比较方板，但试把报纸上铅字翻过来映着光看，它的横划，都有些微向字的右上方斜去的情况。在右端上边还加一个黑三角“一”（附图十一）。给人的视觉上更觉得右上方是轨道的去向。铅字的竖笔，都在上下两端有个斜缺处“亅”（附图十四），这暗示了竖笔不是死直的，实际手写时，横有“～”“︶”势（附图十二、十三），竖有“丨”“丿”势（附图十五、十六），前人常说“一波（捺）三折”，其实何止波笔，每笔都不例外，只是有较显较隐罢了。

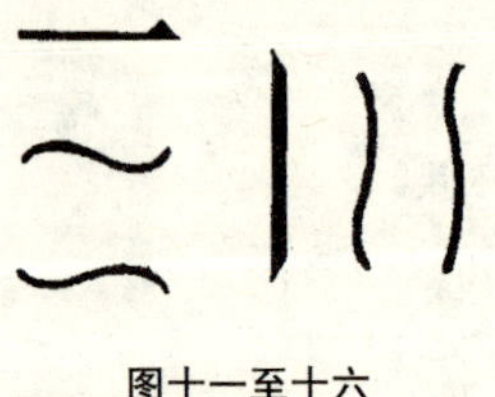

图十一至十六

四、字的整体外形，也是先小后大：

由于先紧后松的原关系，结成整字也必呈现先小后大，先窄后宽的现象，例如“上”，本来是上边小的，但若把“⊦”靠近“一”的左半，“上”便成了“◺”势，即不好看。“上”，成了⊿势，便好看，因为它是左小右大的。“下”的“卜”也须偏右，若“ㄗ”便不好看，因为下ヿ是左小，ㄗ是右小，道理极其分明的。其余不难类推。也有本来左边长、重的，如“仁”，谁也无法把“二”写得比“亻”高大。但“二”的宽度，万不能小于“亻”的宽度。“丨 −”势也是不得已的。至于8势也有，可以用点划去调剂了。

至于“行气”，说法，总不易具体说清。若了解了中心四个小聚处的现象，即可看出，一行中各字，假若它们的 A 或 C 处站在一条竖线上，无论旁边如何左伸右扯，都能不失行气的连贯。当然写字时不易那么准确连贯，在写到偏离这条竖线时，另起竖线也有的，再在错了线的邻行近处加以补救，也是常见的，甚至是必不可少的，更是书家所各有妙法的。

以上只是曾向初学者谈的一些浅近的方法。至于早有成就、自具心得的书家，当然还有其他窍门和理论，我们相信必会陆续读到的。

从来学书法的人都知道，要写好行书宜先学楷书做基础。这个道理在哪里？也是“结字”的问题。行书是楷字的“连笔”、“快写”，有些楷字的细节，在行书中，可以给以“省并”。如“糸”旁可以写成“纟”，不但“幺”变成“乡”、“灬”也变成“一”。

行书虽有这样便利处，但也有必宜遵守的，即是笔划轨道的架子、形状，以至疏密、聚散各方面，宜与楷字相一致，也就是“省并”之后的字形，使人一眼望去，轮廓形状，还与楷字不相违背。

再具体些说，即是楷字中的笔划，虽然快写，但不超越、绕过它们原有的轨道，譬如火车，慢车每站必停，可比楷书；快车有些站可以不停。快车虽然有不停的站，但不能抛开中间的站，另取直线去行车。近年有些人写行书太快了，一次我见到一个字，上部是“〃”，下部是“车”，实在认不出。后从句义中知是“军”字，他把“冖”写成“〃”了，缩得太浓了，便不好认。又有人写“口”字作“ʰ”形，左竖太长，右边太小。虽然行笔的轨道方向不错，但外形全变，也就令人不识了。

这只是说“行”与“楷”的关系，至于草书，比行书又简略了一步，则当另论了。

叁　琐谈五则

在书法方面的交流活动中，有青少年提出的询问，有中年朋友提出的商榷，有老年前辈发出的指教，常遇几项问题：综合起来，计：（一）学习书法的年龄问题；（二）工具和用法的问题；（三）临学和流派的问题；（四）改进和提高的问题；（五）关于"书法理论"的问题。

这里把走过弯路以后的一些粗浅意见，曾向不同年龄的同志们探讨后的初步理解，以下分别谈谈。因为对前列各章的专题无所归属，所以附在最后。

（一）学习书法的年龄问题：

常有人问，学习书法是否应有"幼工"？还常问："我已二三十岁了，还能学书法吗？"我个人的回答是：书法不同于杂技，腰腿灵活，须要自幼锻炼，学习书法艺术，甚至恰恰相反。小孩对那些字还不认识，怎提得到书写呢？现在小孩在"功课本"上用铅笔写字，主要的作用是使他记住笔划字形，实是认识字、记住字的部分手段。今天小孩练毛笔字，作为认字、记字的手段外，还有培养对民族传统艺术的认识和爱好的作用，与科举时代的学法和目的大有不同。

科举时代，考卷上的小楷，成百成千的字，要求整齐划一，有如印版一般，稍有参差，便不及格，这种功夫，当然越早练越深刻，它与弯腰抬腿，可以说“异曲同工”，教法也是机械的、粗暴的。这种教法和目的，与今天的提倡有根本区别。但我有一次遇到一位家长，勒令他的几岁的小孩，每天必须写若干篇字，缺了一篇，不许吃饭。我当面告诉他：“你已把小孩对书法的感情、兴趣杀死，更无望他将来有所成就了。”

正由于人的年龄大了，理解力、欣赏力强了，再去练字，才更易有见解、有判别、有选择，以至写出自己的风格。所以我个人的答案是：练写字与练杂技不同，是不拘年龄的。但练写字要有合理的方法，熟练的功夫，也是各类年龄人同样需要的。

（二）执笔和指、掌、腕、肘等问题：

关于执笔问题，在这里再谈谈我个人遇到过的一些争论：什么单钩、双钩、龙睛、凤眼等等，固然已为大多数有实践经验的书法家所明白，无须多谈，也不必细辨，都知道其中由于许多误会，才造成一些不切实际的定论，这已不待言。这里值得再加明确一下的，是究竟是否执好了笔就会用笔、写好字？进一步谈，究竟是否必须悬了腕、肘才能写好字？

据我个人的看法，手指执笔，当然是写字时最先一道工序，但把所有的精神全放在执法上，未免会影响写字的其他工序。我觉得执笔和拿筷子是一样的作用，筷子能如人意志夹起食物来即算拿对了，笔能如人意志在纸上划出道来，也即是执对了。“指实、掌虚”之说，是一句骈偶的词组，指与掌相对言，指不实，拿不起笔来；它的对立词，是“掌虚”。甚至可以理解，为说明“掌虚”的必要性，才给它配上这个“指实”的对偶词。“实”不等于用大力、死捏笔；掌的“虚”，只为表明无名指和小指不要抠到掌心处。为什么？如果后二指抠入掌心窝内，就妨碍了笔的灵活运动。这个道理，本极浅显。有人把“指实”误解为用力死捏笔管，把“掌虚”说成写字时掌心处要能攥住一个鸡蛋。诸如此类的附会之谈，作为谐谈笑料，固无不可，但绝不能信以为真！

不知从何时何人传起一个故事，《晋书》说王献之六七岁时练写字，他父亲从后拔笔，竟没拔了去。有六七岁儿子的父亲，当然正在壮年，一个壮年男子，居然拔不动小孩手里的一枝笔，这个小孩必不是“书圣”王羲之的儿子，而是一个“天才的大力士”。这个故事即使当年真有，也不过是说明小孩注意力集中，而且警觉性很灵，他父亲“偷袭”拔笔，立刻被他发现，因而没拔成罢了。这个故事，至今流传，不但家喻户晓，而且成了许多家长和教师的启蒙第一课，真可谓流毒甚广了！

至于腕肘的悬起，不是为悬而悬的，这和古人用“单钩”法执笔是一样的问题：大约五代北宋以前，没有高桌，席地而坐。左手拿纸卷，右手拿笔，纸卷和地面约成三十余度角，笔和纸面垂直，右手指拿笔当然只能像今天拿钢笔那样才合适，这就是被称的单钩法。这样写字时，腕和肘都是无所凭依的。不想悬也得悬，因为无处安放它们。这样写出的字迹，笔划容易不稳，而书家在这样条件下写好了的字，笔划一定是能在不稳中达到稳，效果是灵活中的恰当，比起手腕死贴桌面写出的字要灵活得多的。

从宋以后，有了高桌，桌面上升，托住腕臂，要想笔划灵活，只好主动地、有意地把腕臂抬起些。至于抬起多么高，是腕抬肘不抬，是腕肘同样平度地抬，是半臂在空中腕比肘高些有斜度地抬，都只能是随写时的需要而定。比如用筷，夹自己碗边的小豆，夹桌面中心处的一块肉，还是夹对面桌边处的大馒头，当时的办法必然会各有不同。拿筷时手指的活动，夹菜时腕肘的抬法，从来没有用筷夹菜的谱式而人人都会把食品吃到口中。

书法上关于指、腕、肘、臂等等问题道理不过如此，按各个人的生理条件，使用习惯，讲求些也无妨碍，但如讲得太死，太绝对，就不合实际了。附带谈谈工具方面的事，主要是笔的问题。有人喜爱用硬毫笔，如紫毫（即兔毛中的硬毛部分），或狼毫（即黄鼬的尾毛），有人喜用软毫，如羊毛或兼毫（即软硬二种毫合制的）。硬毫弹力较大，更受人欢迎，但太容易磨秃，不耐用，软毫弹力小，用着费力而不易表现笔划姿态，这两种爱用者常有争论。我体会，如果写时注意力在笔划轨道上，把点划姿态看成次要问题，则无论用软毫硬毫，都会得心应手。写熟了结字，即用钢条在土上划字与拿着棉团蘸水在板上划字，一样会好看的。

（三）临帖问题：

常有人问，入手时或某个阶段宜临什么帖，常问："你看我临什么帖好"，或问："我学哪一体好"，或问："为什么要临帖"，更常有人问："我怎么总临不像"，问题很多。据我个人的理解，在此试做探讨：

"帖"，这里做样本、范本的代称。临学范本，不是为和它完全一样，不是要写成为自己手边帖上字的复印本，而是以范本为谱子，练熟自己手下的技巧。譬如练钢琴，每天对着名曲的谱子弹，来练基本功一样。当然初临总要求相似，学会了范本中各方面的方法，运用到自己要写的字句上来，就是临帖的目的。

选什么帖，这完全要看几项条件，自己喜爱哪样风格的字，如同口味的嗜好，旁人无从代出主意。其次是有哪本帖，古代不但得到名家真迹不易，即得到好拓本也不易。有一本范本，学了一生也没练好字的人，真不知有多少。现在影印技术发达，好范本随处可以买到，按照自己的爱好或"性之所近"地去学，没有不收"事半功倍"的效果的。

"选范本可以换吗？"学习什么都要有一段稳定的熟练的阶段，但发现手边范本实在有不对胃口或违背自己个性的地方，换学另一种又有何不可？随便"见异思迁"固然不好，但“见善则迁，有过则改”（《易经》语）又有何不该呢？

或问：“我怎么总临不像？”任何人学另一人的笔迹，都不能像，如果一学就像，还都逼真，那么签字在法律上就失效了。所以王献之的字不能十分像王羲之，米友仁的字不能十分像米芾。苏辙的字不能十分像苏轼，蔡卞的字不能十分像蔡京。所谓“虽在父兄，不能以移子弟”（曹丕语），何况时间地点相隔很远，未曾见过面的古今人呢？临学是为吸取方法，而不是为造假帖。学习求“似”，是为方法“准确”。

问：“碑帖上字中的某些特征是怎么写成的？如龙门造像记中的方笔，颜真卿字中捺笔出锋，应该怎么去学？”圆锥形的毛笔头，无论如何也写不出那么“刀斩斧齐”的方笔划，碑上那些方笔划，都是刀刻时留下的痕迹。所以，见过那时代的墨迹之后，再看石刻拓本，就不难理解未刻之先那些底本上笔划轻重应是什么样的情况。再能掌握笔划疏密的主要轨道，即使看那些刀痕斧迹也都能成为书法的参考，至于颜体捺脚另出一个小道，那是唐代毛笔制法上的特点所造成，唐笔的中心“主锋”较硬较长，旁边的“副毫”渐外渐短，形成半个枣核那样，捺脚按住后，抬起笔时，副毫停止，主锋在抬起处还留下痕迹，即是那个像是另加的小尖。不但捺笔如此，有些向下的竖笔末端再向左的钩处也常有这种现象。前人称之为“蟹爪”，即是主锋和副毫步调不能一致的结果。

又常有人问应学“哪一体”？所谓“体”，即是指某一人或某一类的书法风格，我们试看古代某人所写的若干碑，若干帖，常常互有不同处。我们学什么体，又拿哪里为那体的界限呢？那一人对他自己的作品还没有绝对的、固定的界限，我们又何从学定他那一体呢？还有什么当先学谁然后学谁的说法，恐怕都不可信。另外还有一样说法，以为字是先有篆，再有隶，再有楷，因而要有“根本”、“远源”，必须先学好篆隶，才能写好楷书。我们看鸡是从蛋中孵出的，但是没见过学画的人必先学好画蛋，然后才会画鸡的！

还有人误解笔划中的“力量”，以为必须自己使劲去写才能出现的。其实笔划的“有力”，是由于它的轨道准确，给看者以“有力”的感觉，如果下笔、行笔时指、腕、肘、臂等任何一处有意识地去用了力，那些地方必然僵化，而写不出美观的“力感”。还有人有意追求什么“雄伟”、“挺拔”、“俊秀”、“古朴”等等被用作形容的比拟词，不但无法实现，甚至写不成一个平常的字了。清代翁方纲题一本模糊的古帖有一句诗说：“浑朴当居用笔先”，我们真无法设想，笔还没落时就先浑朴，除非这个书家是个婴儿。

问：“每天要写多少字？”这和每天要吃多少饭的问题一样，每人的食量不同，不能规定一致。总在食欲旺盛时吃，消化吸收也很容易。学生功课有定额是一种目的和要求，爱好者练字又是一种目的和要求，不能等同。我有一位朋友，每天一定要写几篇字，都是临张迁碑，写了的元书纸，叠在地上，有一人高的两大叠。我去翻看，上层的不如下层的好。因为他已经写得腻烦了，但还要写，只是“完成任务”，除了有自己向自己“交差”的思想外，还有给旁人看“成绩”的思想。其实真“成绩”高下不在“数量”的多少。

有人误解“功夫”二字。以为时间久、数量多即叫做“功夫”。事实上“功夫”是“准确”的积累。熟练了，下笔即能准确，便是功夫的成效。譬如用枪打靶，每天盲目地放百粒子弹，不如精心用意手眼俱准地打一枪，如能每次二射中一，已经不错了。所以可说：“功夫不是盲目地时间加数量，而是准确的重复以达到熟练。”

（四）改进和提高的办法：

常常有人拿写的字问人，哪里对，哪里不对。共同商讨研究，请人指导，本是应该的，甚至是必要的。但旁人指出优缺点以及什么好方法，自己再写，未必都能做到。我自己曾把写出的字贴在墙上，初贴的当然是自己比较满意的甚至是“得意”的作品。看了几天后，就发现许多不妥处，陆续再贴，往往撤下以前贴的。假如一块墙壁能贴五张，这五张字必然新陈代谢地常常更换。自己看出的不足处，才是下次改进的最大动力，也是应该怎样改的最重要地方。如果是临的某帖，即把这帖拿来竖起和墙上的字对看，比较异处同处，所得的“指教”，比什么“名师”都有效。

为什么贴在墙壁上看，因为在高桌面上写字，自己的眼与纸面是四十五度角，写时看见的效果，与竖起来看时眼与纸面的垂直角度不同。所以前代有人主张“题壁”式的练字，不仅是为什么悬腕等等的功效，更是为对写出的字当时即见出实际的效果，这样练去，落笔结字都易准确的。这里是说这个道理，并非今天练字都必须用这方法。

（五）看什么参考书：

古代论书法的话，无论是长篇或零句，由于语言简古，常常词不达意，甚或比拟不伦。梁武帝《书评》论王羲之的字如“龙跳天门，虎卧凤阁”，米芾批评这二句“是何等语”。这类比喻形容，作为风格的比拟，原无不可，但作为实践的方法，又该怎样去做呢？还有前代某家有个人的体会，发为议论，旁人并无他的经历，又无他所具有的条件，即想照样去做，也常无从措手的。古代的论著，当然以唐代孙过庭的《书谱》为最全面，也确有极其精辟的理论。但如按他的某句去练习，也会使人不知怎样去写。例如他说“带燥方润，将浓遂枯”，又说“古不乖时，今不同弊”，不错，都是极重要的道理。但我们写字，又如何能主动地合乎这个道理，恐怕谁也找不出具体办法的。又像清代人论著，包世臣的《艺舟双楫》和康有为的《广艺舟双楫》影响极大。姑不论二书的著者自己所写的字，有多少能实践他自己的议论，即我们今天想忠实地按他们书中所说的做去，当然不见得全无好效果，但效果又究竟能有多大比重呢？

因此把参考理论书和看碑帖或临碑帖相比，无疑是后者所收的效益比前者所收的效益要多多了。这里所说，不是一律抹杀看书法“理论书”，只是说直接效益的快慢、多少。譬如一个正在饥饿的人，看一册营养学的书，不如吃一口任何食品。

常听到有人谈论简化汉字的书法问题，所议论甚至是所争论的内容，大约不出两个方面：

一是好写不好写。我个人觉得，从《说文解字》到《康熙字典》所载被认为是“正字”的字，已经是陆续简化或变形的结果，例如“雷”字，在古代金文中，下边是四个“田”字作四角形地重叠着，写成一个“田”字时，岂非简掉了四分之三？如“人”字，原来作 ⺅，像侧立着的人形，后变成 𠆢，再变成“亻”、“人”，认不出侧立的人形，只成接搭的两条短棍。论好看，楷体的雷、人，远不如金文中这两个字的图画性强。但用着方便，谁在写笔记、写稿、写信时，恐怕都没有用“金文”或“隶古定”体来逐字去写的。人对一切事物，在习惯未成时，总觉得有些别扭，并不奇怪的。

二是怎样写法。我个人觉得简化字也是楷字点划组成的，例如“拥护”，“提手旁”人人会写，“用”和“户”也是常用字，只是“扌、用、户”三个零件新加拼凑的罢了。我们生活中，夏天穿了一条黄色裤子，一件白色衬衫，次日换了一条白色裤子，黄色衬衫，无论在习惯上、审美上都没有妨碍。如果说这在史书的《舆服志》上没有记载，那岂不接近“无理取闹”了吗？即使清代科举考试中了状元的人，若翻开他的笔记本、草稿册来看，也绝对不会每一笔每一字都和他的

"殿试大卷子"上边的写法一个样。再如苏东坡的尺牍中总把"萬"字写作"万"，米元章常把"體"字写成"躰"。清代人所说的"帖写字"即是不合考试标准的简化字。

有人曾问我：有些"书法家"不爱写"简化字"，你却肯用简化字去题书签、写牌匾，原因何在？我的回答很简单：文字是语言的符号，是人与人交际的工具。简化字是国务院颁布的法令，我来应用它、遵守它而已。它的点划笔法，都是现成的，不待新创造，它的偏旁拼配，只要找和它相类的字，研究它们近似部分的安排办法，也就行了。我自己给人写字时有个原则是，凡作装饰用的书法作品，不但可以写繁体字，即使写甲骨文、金文，等于画个图案，并不见得便算"有违功令"，若属正式的文件、教材，或广泛的宣传品，不但应该用规范字，也不宜应简的不简。

有人问练写字、临碑帖，其中都是繁体字，与今天贯彻规范字的标准岂不背道而驰。我的理解，可做个粗浅的比喻来说，碑帖好比乐谱。练钢琴、弹贝多芬的乐谱，是练指法、练基本技术等等，肯定贝多芬的乐谱中找不出现代的某些调子。但能创作新乐曲的人，他必定通过练习弹名家乐谱而学会了基本技术的。由此触类旁通，推陈出新，才具备音乐家的多面修养。在书法方面，点划形式和写法上，简体和繁体并没有两样；在结字上，聚散疏密的道理，简体和繁体也没有两样，只如穿衣服，各有单、夹之分，盖楼房略有十层、三层之分而已。

论书札记

前　言

古代论书法的文章，很不易懂。原因之一是所用比喻往往近于玄虚。即使用日常所见事物为喻，读者的领会与作者的意图，并不见得都能相符。原因之二是立论人所提出的方法，由于行文的局限，不能完全达意，又不易附加插图，再加上古今生活起居的方式变化，后人以自己的习惯去理解古代的理论内容，以致发生种种误解。

比喻的难解，例如“折钗股、屋漏痕”，大致是指笔划有硬折处和运笔联绵流畅，不见起止痕迹的圆浑处。“折钗股”又有作“古钗脚”的，便是全指圆浑了。用字尚且不同，怎么要求解释正确呢。

又例如：古代没有高桌，人都席地而坐，左手执纸卷，右手执笔，这时只能用前三指去执笔，有如今天我们拿钢笔写字的样式，这在敦煌发现的唐代绘画中见到很多。后人只听说古人用三指握管，于是坐在高桌前，从肘至腕一节与桌面平行，笔杆与桌面垂直，然后用三指尖捏着笔杆来写，号称古法，实属误解。

诸如此类的误解误传，今天从种种资料印证，旧说常有重新解释的必要。启功幼年也习闻过那些被误解而成的谬说，也曾试图重新做此较近乎情理的解释，不敢自信所推测的都能合理，至少是寻求合乎情理的探索。发表过一些议论，刊在与一位同好合作的《书法概论》中，向社会上方家求教。从这种探索而联系起对许多误传的剖析，有时记出零条断句，随时写出，没有系统。案头偶有花笺，顺手抄录，也没想到过出版。

近承北京师范大学出版社的朋友从鼓励的意图出发，将要把这个小册拿去影印出版，使我在惭愧和感激的心情下有不得不做的两点声明：一是这里的一些论点，只是自己大胆探索的浅近议论，并没想"执途人以强同"。二是凡与传统论点未合处，都属我个人不见得成熟的理解，如承纠正，十分感谢。

一九九二年二月十五日启功自识

一九八六年夏

或问学书宜学何体，对以有法而无体。所谓无体，非谓不存在某家风格，乃谓无某体之严格界限也。以颜书论，多宝[①]不同麻姑[②]，颜庙[③]不同郭庙[④]。至于争坐、祭侄[⑤]，行书草稿，又与碑版有别。然则颜体竟何在乎，欲宗颜体，又以何为准乎。颜体如斯，他家同例也。

① 指《多宝塔碑》。
② 指《麻姑仙坛记》。
③ 指《颜家庙碑》。
④ 指《郭家庙碑》。
⑤ 指《争坐位帖》和《祭侄文稿》。

或問學書宜學何體、對以有法而無體。所謂無體、非謂不存在某家風格、乃謂無某體之嚴格界限也。以顏書論、多寶不同麻姑、顏廟不同郭廟。至於爭坐祭姪、行書草稿、又與碑版有別。然則顏體竟何在乎、欲宗顏體、又以何為準乎。顏體如斯、他家同例也。

写字不同于练杂技，并非有幼工不可者，甚且相反。幼年于字且不多识，何论解其笔趣乎。幼年又非不须习字，习字可助识字，手眼熟则记忆真也。

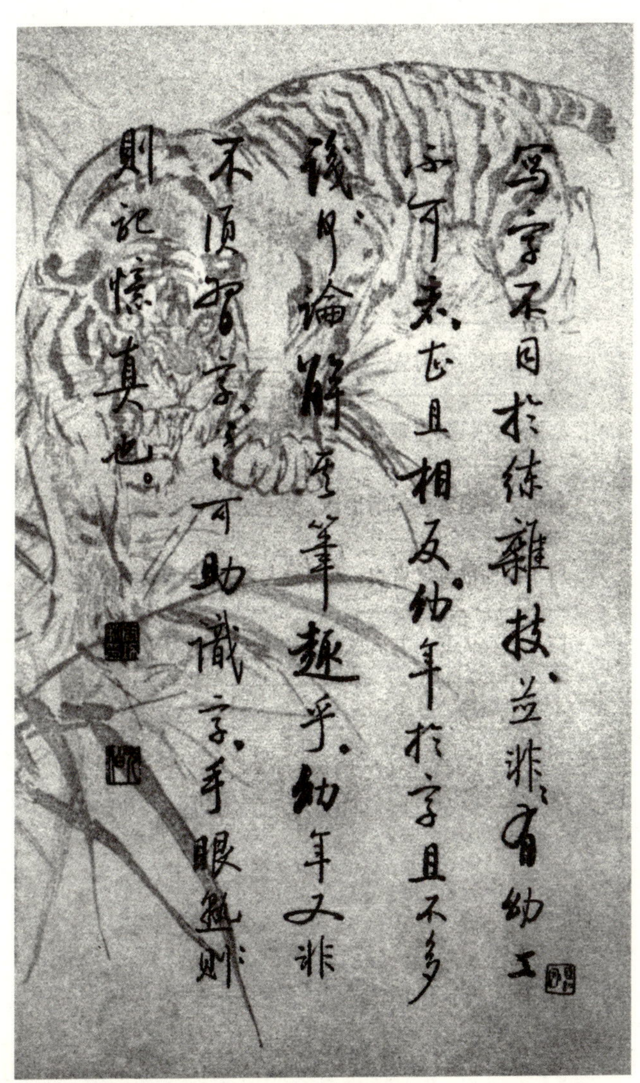

作书勿学时人，尤勿看所学之人执笔挥洒。盖心既好之，眼复观之，于是自己一生，只能作此一名家之拾遗者。何谓拾遗，以己之所得，往往是彼所不满而欲弃之者也。或问时人之时，以何为断。答曰：生存人耳。其人既存，乃易见其书写也。

作士勿学时人，尤勿看所学之人执笔挥
灑。盖心既好之，眼复观之，於是自己一生只
能作此一名家之拾遗者。所谓拾遗，以己之
所得，往往是彼所不满而唾弃之者也哉
向时人之时，以身为断。若曰，生存人耳。至
人既存，不易见至士写也。

凡人作书时，胸中各有其欲学之古帖，亦有其自己欲成之风格。所书既毕，自观每恨不足。即偶有惬意处，亦仅是在此数幅之间，或一幅之内，略成体段者耳。距其初衷，固不能达三四焉。他人学之，藉使是其惬心处，亦每是其三四之三四，况误得其七六处耶。[①]

① 宋代大书家米芾自书七言绝句二首，自注云："三四次写，间有一两字好，信书亦一难事。"按米氏自己写一百余字中，只自认为有一两字好，约占百分之一。而不满意的却有百分之九十余。今人学古人书，不宜学其百分之九十余，岂不明显无疑。

凡人作書时，胸中多有其所学之古帖，亦有其自己所成之風格。所書既畢，自觀每恨不足。即偶有惬意處，亦僅是在此數幅之间，或一幅之内略成體段者耳。距其初衷，固不能達三四分。他人学之，藉使是其惬心處，亦每是其三四之三四，况误將其七亦處耶。

学书所以宜临古碑帖，而不宜但学时人者，以碑帖距我远。古代纸笔，及其运用之法，俱有不同。学之不能及，乃各有自家设法了事处，于此遂成另一面目。名家之书，皆古人妙处与自家病处相结合之产物耳。

學者所以宜臨古碑帖，而不宜但學時人者，以碑帖距我遠，古代之紙筆，及至運用之法，俱有不同。學之不能及，乃各有自家設法了事，變於此，遂成另一面目。名家之書，皆古人妙變與自家病變相結合之產物耳。

风气囿人，不易转也。一乡一地一时一代，其书格必有其同处。故古人笔迹，为唐为宋为明为清，入目可辨。性分互别，亦不可强也。“虽在父兄，不能以移子弟。”[①]故献不同羲，辙不同轼，而又不能绝异也，以此。

① 曹丕《典论·论文》语。

風氣囿人，不易轉也。一鄉一地一時一代，至其格必有其同一變。故古人筆迹，為唐為宋為明為清，入目可辨。性分互別，亦不可強也。雖在父兄，不能以移子弟。故雖不同之氣，轍不同轍，而又不能絕異也，以此。

或问临帖苦不似奈何？告之曰：永不能似，且无人能似也。即有似处，亦只为略似、貌似、局部似，而非真似。苟临之即得真似，则法律必不以签押为依据矣。

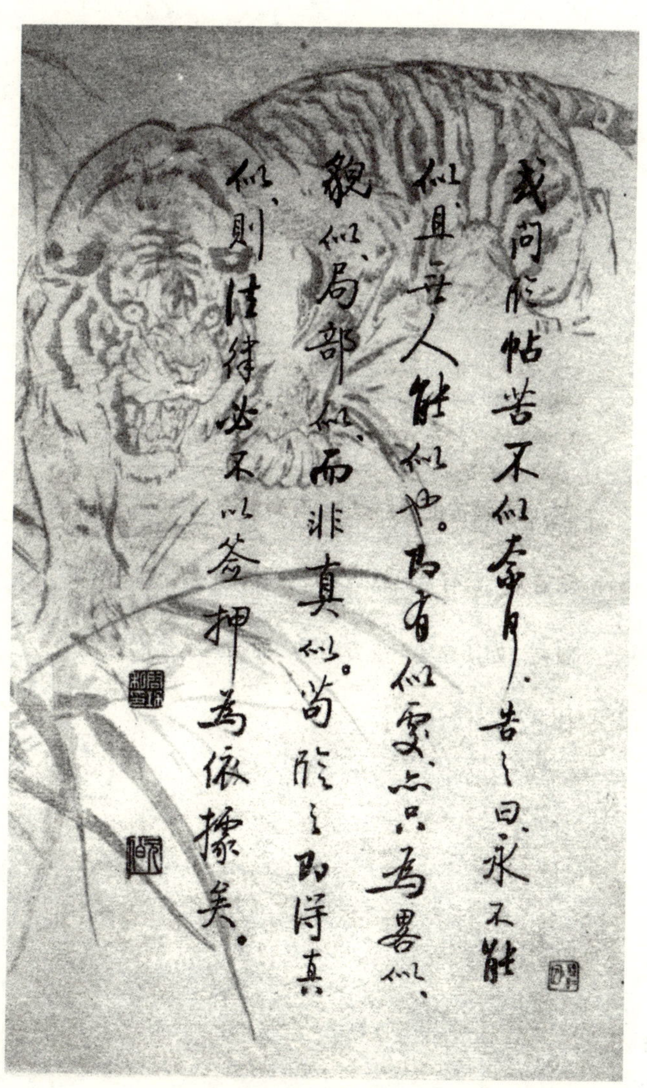

我问於帖苦不似奈何。告之曰：永不能
似。且无人能似也。所有似处、点只为略似、
貌似、局部似，而非真似。苟於之所得真
似，则法律必不以签押为依据矣。

古人席地而坐，左执纸卷，右操笔管，肘与腕俱无着处。故笔在空中，可作六面行动。即前后左右，以及提按也。逮宋世既有高桌椅，肘腕贴案，不复空灵，乃有悬肘悬腕之说。肘腕平悬，则肩臂俱僵矣。如知此理，纵自贴案，而指腕不死，亦足得佳书。

古人席地而坐、左執紙卷、右操筆管、肘與腕俱無著〻實。故筆在空中、可作六面行動。即前後左右以及提按也。逮宋世既有高棹椅、肘腕貼案、不復懸空、乃有懸肘懸腕之說。肘腕平懸、則肩臂俱僵矣。如知此理纔自貼案而指腕不死、亦足得佳書。

赵松雪云，“书法以用笔为上，而结字亦须用工”[①]，窃谓其不然。试从法帖中剪某字，如八字、人字、二字、三字等，复分剪其点画。信手掷于案上，观之宁复成字。又取薄纸覆于帖上，以铅笔划出某字每笔中心一线，仍能不失字势，其理讵不昭昭然哉。

① 见赵孟頫（号松雪）《兰亭十三跋》。

趙松雪云，書法以用筆為上，而結字亦須用工。竊謂殊不然。試以法帖中剪某字、如八字、人字、二字、三字等，復分剪點畫。任手擲於案上，觀之，寧復成字。又取薄紙覆於帖上，以鉛筆劃出某字每筆中心一綫，仍能不失字勢，其理詎不昭昭然哉。

每笔起止，轨道准确，如走熟路。虽举步如飞，不忧蹉跌。路不熟而急奔，能免磕撞者幸矣。此义可通书法。

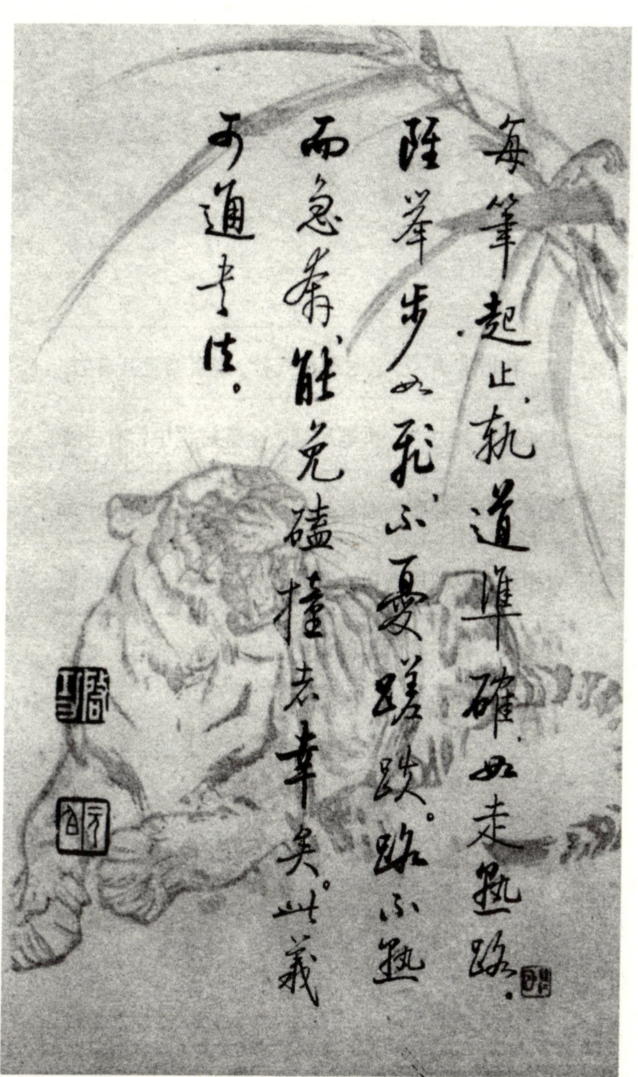
每筆起止，執道準確，如走熟路。
陞峯步如飛，不憂蹉跌。路不熟
而急奔，難免磕撞，志幸矣。此義
可通書法。

轨道准确，行笔时理直气壮。观者常觉其有力，此非真用膂力也。执笔运笔，全部过程中，有一着意用力处，即有一僵死处。此仆自家之体验也。每有相难者，敬以对曰，拳技之功，有软硬之别，何可强求一律。余之不能用力，以体弱多病耳。难者大悦。

執筆準確，行筆時理直氣壯。觀者常嘆其有力，此非真用臂力也。執筆運筆，全部過程中，有一著意用力處，乃有一僵死處。此僕自家之體驗也。每有叩難者，亦以對曰，拳技之功，有軟硬之別，則不可強求一律。余之不能用力，以體弱多病耳。難者大悅。

运笔要看墨迹，结字要看碑志。不见运笔之结字，无从知其来去呼应之致。结字不严之运笔，则见笔而不见字。无恰当位置之笔，自觉其龙飞凤舞，人见其杂乱无章。

運筆要有墨趣，結字要有研德。不見運筆之結字，無從知其來去呼應之致。結字不嚴之運筆，則見筆而不見字。無恰當位置之筆，自覺龍飛鳳舞，人見雜亂無章。

碑版法帖，俱出刊刻。即使绝精之刻技，碑如温泉铭[①]，帖如大观帖[②]，几如白粉写黑纸，殆无余憾矣。而笔之干湿浓淡，仍不可见。学书如不知刀毫之别，夜半深池[③]，其途可念也。

① 《温泉铭》，唐太宗书，敦煌旧藏残本。

② 宋徽宗于大观年间重摹《淳化阁帖》之底本，刻工极精，今存残本数册。

③ “盲人骑瞎马，夜半临深池”，为南朝人戏作“危语”之一。

碑版法帖，俱出刊刻，即使絕精之刻技，殊如溫泉銘帖、如大觀帖，或如白粉寫黑紙，殆無餘憾矣。而筆之乾溼濃淡，仍不可見。學書如不知刀毫之別，縱丰深池，其途了念也。

行书宜当楷书写，其位置聚散始不失度。楷书宜当行书写，其点划顾盼始不呆板。

行書宜當楷書写、其位置聚散始不失度。楷書宜當行書写、其點劃顧盼始不呆板。

所谓工夫，非时间久数量多之谓也。任笔为字，无理无趣，愈多愈久，谬习成痼。惟落笔总求在法度中，虽少必准。准中之熟，从心所欲，是为工夫之效。

所谓工夫，非时间久、数量多之谓也。任笔为之，无理无趣，愈多愈久，误习成痼。惟落笔总求在法度中，虽少必进。进中之趣，随心所欲，是为工夫之效。

又有人任笔为书，自谓不求形似，此无异瘦乙冒称肥甲。人识其诈，则曰不在形似，你但认我为甲可也。见者如仍不认，则曰你不懂。千翻百刻之《黄庭经》[①]，最开诈人之路。

① 宋人摹刻小楷《黄庭经》，原刻拓久模糊，翻刻失真极多。

又有人任笔为之，自谓不求形似、此无异瘦乞冒称肥甲。人浅至诈、写曰不在形似、你但认我为甲可也。见者如仍不认、则曰你不懂。千翻百刻之黄庭经、最开诈人之路。

仆于法书，临习赏玩，尤好墨迹。或问其故，应之曰：君不见青蛙乎。人捉蚊虻置其前，不顾也。飞者掠过，一吸而入口。此无他，以其活耳。

深於法書、能習賞玩、尤好墨迹。或問至故宮之日、更不見人青蛙乎、人捉蚊蟲置其中、不能也。飛去捕之、一吸而入口。此無他、以其活耳。

人以佳纸嘱余书，无一惬意者。有所珍惜，且有心求好耳。拙笔如斯，想高手或不例外。眼前无精粗纸，手下无乖合字，胸中无得失念，难矣哉。

人以佳纸嘱余书，无一惬意者。有所矜惜且有心求好耳。拙笔如斯，想高手或不例外。眼前无精粗纸，手下无乖合字，胸中无得失念，难矣哉。

或问学书宜读古人何种论书著作，答以有钱可买帖，有暇可看帖，有纸笔可临帖。欲撰文时，再看论书著作，文稿中始不忧贫乏耳。

我向学艺宜读古人所種论艺著作，若以有錢可買帖、有暇多看帖、有紙筆可臨帖。暇撰文时、再看论艺著作、文稿中始不忧貧乏耳笔不论钢与毛，腕不论低与高。行笔如“乱水通人过”，结字如“悬崖置屋牢”[①]。

① “乱水”、“悬崖”二句为杜甫诗中一联，此系借喻用笔宜稳，结笔宜准。

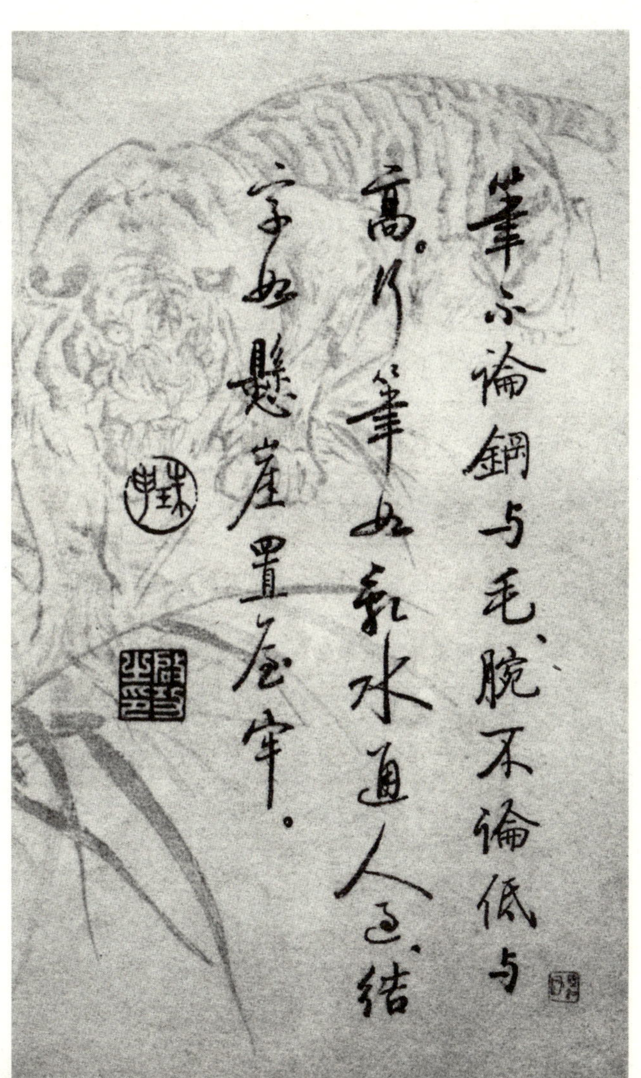
筆不論鋼与毛、腕不論低与

主锋长，副毫匀。管要轻，不在纹。所谓长锋，非指毫身。金杖系井绳，难用徒吓人[①]。

笔箴一首赠笔工友人。

① 此处指笔管用料贵轻，笔毫如是一束长毛而无肥腰锐锋，只能做刷子了。

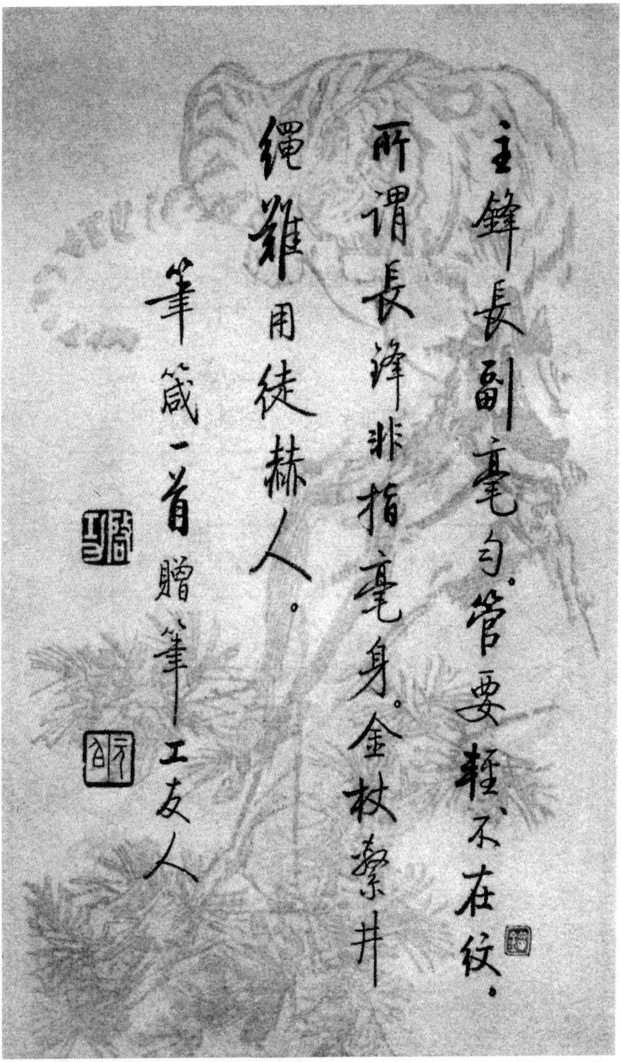

主鋒長副毫匀。管要輕，不在紋。

所謂長鋒非指毫身。金杖繫井

繩難用徒赫人。

筆箴一首贈筆工友人

锋发墨，不伤笔。箧中砚，此第一。得宝年，六十七。一片石，几两屐[①]。

粗砚贫交，艰难所共。当欲黑时识其用。

砚铭二首旧作也。

① 古人着木屐，有人自叹人之一生能着几双木屐。“两”即双。

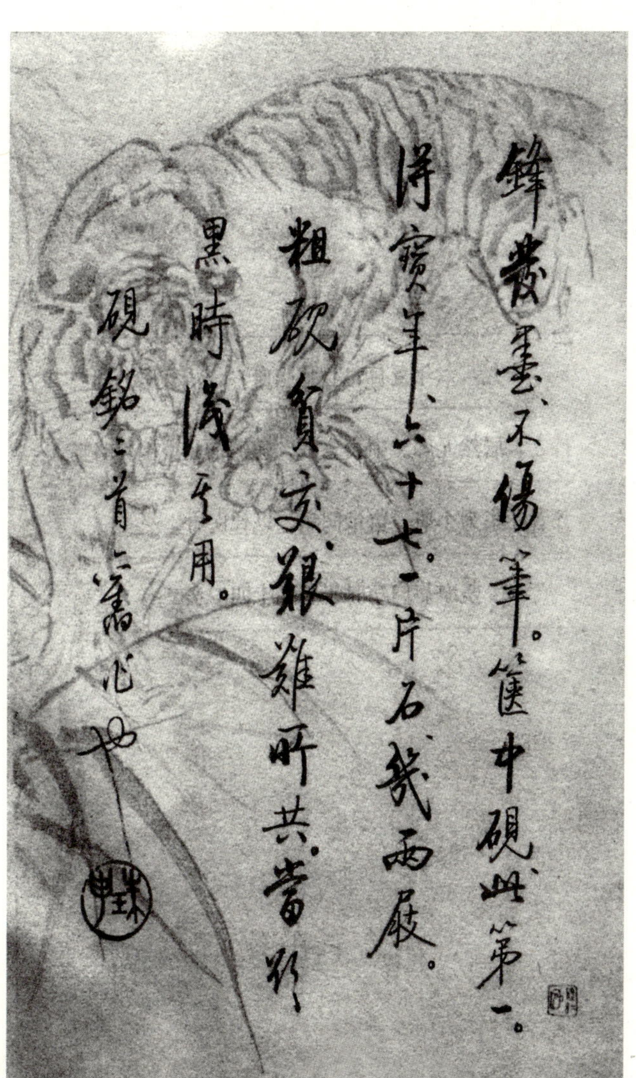
鋒發墨、不傷筆。篋中硯、此第一。
得窮年、六十七。片石幾兩屐。
粗硯貧交、艱難所共。當
黑時淺互用。
硯銘二首

一九八六年夏日，心肺胆血，一一有病。闭户待之，居然无恙。中夜失眠，随笔拈此。检其略整齐者，集为小册。留示同病，以代医方。

坚净翁启功时年周七十四岁矣

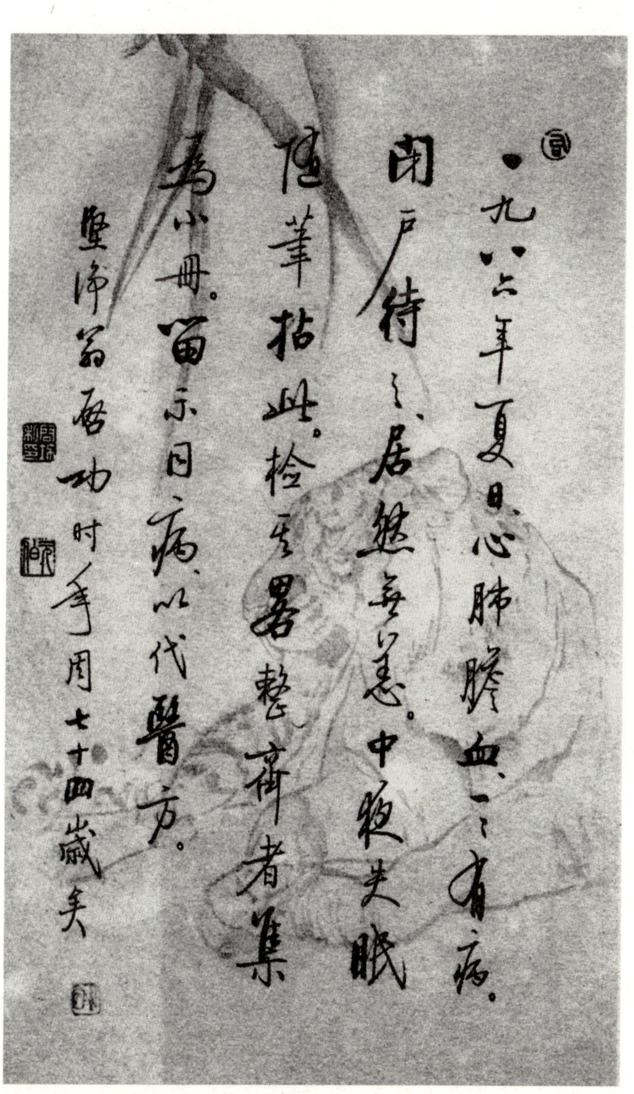
一九八六年夏日心肺膨血、一一有病。
闭户待之、居然無以恙。中夜失眠
信笔拈此。捡墨艺斋者集
为小册。留示同病、以代医方。
坚净翁启功时年七十四岁矣

《国文百八课》 叶绍钧、夏丏尊
《文心》 夏丏尊、叶圣陶
《经典常谈》 朱自清
《论雅俗共赏》 朱自清
《语文常谈》 吕叔湘
《语文杂记》 吕叔湘
《语文闲谈》[选订本] 周有光
《在语词的密林里》 尘 元
《文章修养》 唐 弢
《汉字王国》 (瑞典)林西莉
《国学常识》 曹伯韩
《万历十五年》 (美)黄仁宇
《中国大历史》 (美)黄仁宇
《中国近百年史话》 曹聚仁
《写给大家的中国美术史》 蒋 勋
《中国建筑文化讲座》 汉宝德
《毛泽东的读书生活》 龚育之、逄先知、石仲泉
《白石老人自述》 齐白石
《绿色遥思》 张 炜
《京华忆往》 王世襄
《岁朝清供》 汪曾祺
《故事和书》 孙 犁
《世界美术名作二十讲》 傅 雷
《傅雷书信选》 傅 雷

《文言读本》	朱自清、叶圣陶、吕叔湘
《语文杂话》	朱自清
《标准与尺度》	朱自清
《阅读与讲解》	叶圣陶
《诗论》	朱光潜
《谈美》	朱光潜
《屐痕处处》	郁达夫
《英诗的境界》	王佐良
《三国史话》	吕思勉
《庄子浅说》	陈鼓应
《读书与治学》	胡　适
《怎样读书》	蔡元培等
《留学时代》	周作人等
《唐诗杂论 诗与批评》	闻一多
《干校六记》	杨　绛
《我们仨》	杨　绛
《北京城杂忆》	萧　乾
《中国哲学简史》	冯友兰
《古代的希腊和罗马》	吴于廑
《孔子传》	钱　穆
《国史新论》	钱　穆
《论书绝句（注释本）》	启　功 著　赵仁珪 注释
《给青年建筑师的信》	汉宝德
《给青年艺术家的信》	蒋　勋
《师门五年记 胡适琐记》	罗尔纲

图书在版编目（CIP）数据

论书绝句：注释本 / 启功著；赵仁珪注. — 北京：生活·读书·新知三联书店，2013.6 （2013.7重印）
(中学图书馆文库)
ISBN 978-7-108-04443-3

Ⅰ. ①论… Ⅱ. ①启… ②赵… Ⅲ. ①汉字－书法理论－中国 Ⅳ. ①J292.1

中国版本图书馆CIP数据核字(2013)第027339号

责任编辑 张 荷
装帧设计 崔建华
责任印制 徐 方
出版发行 生活·讀書·新知三联书店
（北京市东城区美术馆东街22号）
邮 编 100010
网 址 www.sdxjpc.com
经 销 新华书店
印 刷 北京鹏润伟业印刷有限公司
版 次 2013年6月北京第1版
2013年7月北京第2次印刷
开 本 787毫米×1092毫米 1/32 印张 9.25
字 数 160千字
印 数 05,001-10,000册
定 价 36.00元
（印装查询：010-64002715；邮购查询：010-84010542）